日本のDX最前線

酒井真弓
Sakai Mayumi

インターナショナル新書　074

はじめに

「ＩＴ後進国ニッポン」「なぜ日本にはＧＡＦＡ（Google, Apple, Facebook, Amazon）やＢＡＴＨ（Baidu, Alibaba, Tencent, Huawei）と渡り合える企業が生まれず、オードリー・タンが現れないのか……」。そう悲観的な言葉で日本におけるデジタル化の現状を嘆くのは待ってほしい。事実、この国にはデジタルの力によって社会や組織に変革を起こすＤＸ（デジタルトランスフォーメーション）と正面から向き合い、本気で未来を変えようとしている人たちがいる。

２０２０年、全国民に一律10万円を給付する特別定額給付金を巡り、給付の遅れや二重払いなど複数の自治体でトラブルが発生した。「戸籍や納税の際の口座情報を使えばスムーズに給付できるはず」と思ってしまうが、ここに落とし穴がある。行政が保有する住民の氏名データは制度上漢字のみ。カナは便宜上登録されているにすぎない。一方、全国銀行データ通信システム内で管理される氏名はカナのみ。そのため、突合でエラーになることがある。何らかの方法でデータが一元管理されていれば、混乱は避けられたかもしれない。

コロナ禍で、広く国民が実感することとなったデジタル化の遅れ。明治時代に作られた行政制度を、現在も基礎としているのだから無理はない。私たちは100年以上前からずっと、窓口へ行き、手書きで書類の項目を埋め、ハンコを押してきた。

2020年3月、政府CIO（内閣情報通信政策監）が発表した「デジタル・ガバメント実現のためのグランドデザイン」では、行政のデジタル化の方向性が示された。52ページに及ぶその文書では、「データファースト」「ユーザー体験の向上」「クラウド化・共通部品化」といった従来の官公庁らしからぬ観点が並ぶ。デジタル社会の基盤づくりにようやく本腰を入れた段階だと言えよう。

本書は全編ルポルタージュだ。第1章「政府編」では、霞が関で進行中のDXを探った。第2章「企業編」は、小売、飲食、金融、製造、エンタメ等、DXに取り組む企業の試行錯誤を追った。

組織の数だけ課題がある。つまり、DXの形は一つではないということだ。デジタルを武器に突き進む人たちの、それぞれの真実を伝えたい。

目次

第1章　政府編

政府CIO――伸びしろだらけの荒野

若手の官僚は絶滅寸前

「誰一人取り残さない」

デジタル庁創設に向けた準備サイトに掲げられたビジョンはとても優しい。一方で、終わらないプロジェクトの始まりにも見える。例えば韓国では、スマートフォンがないと住民登録番号（日本のマイナンバーのようなもの）が利用できない。対象デバイスを絞ることで開発スピードが上がり、コストも約3分の1に抑えられるからだ。スマホを持たない人のために、デジタルが苦手な人のために、誰一人取り残さないために――そんな思いやりがこの30年、日本の発展を阻んできたとしたら。

国連会議では、他国の代表が自らインターネットで情報収集しながら議論する中、日本はオンライン決裁フローのようなシステムを使い、許可された内容でなければ発言できない。これは検索が苦手な人のサポートやリスク管理のために用意されたものだが、そうでない人もこの仕組みに縛られている。発言の許可は1、2日がかりで下りるという。

誰かが取り残されていいわけでも、自分が取り残されていいわけでもない。ただ、人はそのときできなかったとしても、学び、順応できる。瞬間的に誰かを置き去りにすること、そして自分が置き去りにされることを怖がらない意志を持つことも大切だ。

新型コロナウイルスの脅威がメディアを駆け巡った2020年1月、外務省は世界に先駆けてコロナウイルスが蔓延する武漢にチャーター機を飛ばし、希望する全ての邦人とその家族828名の早期帰国を実現したが、その裏には職員らの尽力があった。日本の外務省職員の数は先進国の中でも圧倒的に少ない。米国が約2万9000人、ドイツが約8800人、英仏がそれぞれ約8600人に対し、日本は約6300人。限られたリソースで重責を果たすには、デジタル化による効率化が急務だ。

外務省を担当するCIO補佐官・大久保光伸（おおくぼみつのぶ）は外務省の業務改革（ビジネス・プロセ

ス・リエンジニアリング）に着手した。現在のやり方をそのままデジタルに置き換えてもうまくいかない。まずは既存業務の分析を行い、優先順位付けをした上で統廃合、業務プロセス全体の最適化を図る。

「改革は9割方抵抗に遭います。完全にデジタル化できれば楽ですが、移行期間は作業や学習コストも含め、手間がかかりますから。職員は目の前の職務を疎かにできませんので、その気持ちもわかります」

大久保の試算によれば、業務改革によって国家公務員の業務時間は年間1万時間削減できるという。だが、「国民のため身を粉にして働くのが正義」「紙と人件費はタダ同然」が伝統の組織でそうした提言は響かない。先輩も皆こうしてやってきた。そもそも国家公務員は労働基準法の適用外なのである。

２０２０年10、11月の内閣人事局の調査によれば、20代の官僚の約3割が過労死ラインの月80時間を超えて残業をしている。２０１９年度に退職した20代の官僚は87人。その6年前の4倍以上だ。退職理由は男女ともに「もっと自己成長できる魅力的な仕事に就きたい」「長時間労働で仕事と家庭の両立が難しい」が上位。20代のデジタルネイティブ世代が、アナログで非効率的な働き方に違和感を覚えるのは想像に難くない。本気で手を打たなければ、若手のさらなる離職は避けられないだろう。

「徐々に」使われ始めたクラウド

印鑑廃止、ペーパーレス、電子決済、テレワーク――コロナ禍で霞が関の働き方は変化しつつあるが、運用ルールの改定やセキュリティ対策が後回しにされているケースも多い。大久保は、あるべき堅牢性を考慮せず、なし崩し的に進むデジタル化に警鐘を鳴らす。

「例えば私物端末の使用を許可するなら、その分モニタリングを強化したり、ゼロトラストと呼ばれるような新たなセキュリティ対策を施す必要があります。まずは外務省で実績を作り、他の省庁にも横展開しようとしています」

大久保が得意とするのはクラウドを活用した改革だ。ソニー銀行時代に国内の金融機関初となるAWS（Amazon Web Services アマゾンが提供するクラウドシステム）導入をリードした。次に、みずほフィナンシャルグループ在職時にはITインフラベンダーから約10億円の見積もりを提示され、一から設計を見直し、クラウドに切り替えることで、セキュリティを強化しつつ約9億5000万円の圧縮に成功した。

霞が関でもスタンスは変わらない。オンライン申請フォームの開発にベンダーから50

００万円を提示されると、初心者でも容易にアプリ開発ができるクラウドサービスを使い、職員の手で作り上げた。結果、費用は50万円。

外務省は海外機関との連携も多いことから個別にリスク管理を行い、早期にクラウドの利用を開始した。しかし、クラウドの活用レベルは各省庁で異なる。大久保が政府情報システム統一研修での講演を依頼された際には、「２メガバイト以上のメールは受信できません」と言われ、新たに作成した１００メガバイトの講演資料を手に絶句した。それならと講演資料をオンラインクラウドストレージにアップロードして展開すると、「省内のネットワークからはクラウドにアクセスできません」と伝えられた。

「機密情報ではないので、お気軽にご自身のスマホで見てくださいと参加者にお願いしました。データの取り扱い基準がクラウドを前提に整備されていなかったため、機密性の高い情報を取り扱うネットワークと、そうでない情報が同等に扱われていて、仕事をやりにくくしてしまっている」

続けて、大久保は日本の現状に厳しい見方を示す。

「世間では今変わらないとお終いだと言われますが、平成になった頃からすでに、インターネットの世界では置いてきぼりだと思っています」

平成日本の惨状を忘れない

大久保は1998年、20歳のときに留学先の米国で貿易事業を始めた。最初は貿易会社を営む母親の見様見真似だったが、米国で仕入れたアイデア商品が日本の小売チェーンに売れて軌道に乗った。その後、在庫の置き場がなくなり倉庫コストがかさむと、小さくて希少な商品を扱うほうが有利だと気づく。母親の手伝いでニューヨークの特許事務所に通うようになってからは、日本でニーズのありそうな特許を調べて権利を買い、日本企業に貸すようになった。

「当時の僕が考えた究極の商材でした。特許は物質ではない。在庫を抱えずに済むんです」

米国はドットコムバブルの真っ只中。大久保はPayPalなどの新たなサービスに触れ、この波はいずれ日本にも押し寄せるだろうとワクワクした。自社のシステムは自社で構築することが一般的で、大久保も自らの手で会社のネットワークやメールサーバーを構築した。日本に戻ったらITを武器に仕事をしようと決めた。

帰国すると、そこには予想外の光景が広がっていた。米国ではすでに普及していたEメールさえ、多くの企業がまともに使えていなかったのだ。それだけではない。

「社内情報システムの運用をシステムインテグレーターに丸投げしていたんです。1人月

130万円という金額にも驚きました。そんなに払ってまでなぜ外部に委託するのって。信じられませんでした」

初めは違和感を覚えても、慣れると徐々にそれが普通になってしまう。だが大久保はその後、銀行のシステム企画、開発に携わるようになってからも、このとき日本のIT化に抱いた強烈な違和感を忘れずにいようと思った。そんな大久保は現在、外務省の他に財務省の政府CIO補佐官、金融庁の参与を務めながら、民間企業でも働き続けている。

「民間企業では、社内手続きが全てクラウドサービスで完結するというところも増えてきましたよね。霞が関のDXを進めるには、官民のギャップを知っていることが強みになると思っています。霞が関に染まりすぎてITの進化に乗り遅れたり、自分が老害になっても気づかない、みたいになるのが嫌なんです」

デジタル庁はCoE

2020年9月に河野太郎行政改革担当大臣が開設した「規制改革・行政改革ホットライン（縦割り110番）」に代表されるように、霞が関では最近、「縦割りを廃し、横串で連携していく」という言い回しがたびたび使われるようになった。大久保は、同じことを

「CoE（Center of Excellence）」と表現する。CoEとは、組織を横断する取り組みを継続的に行う際に中核となる部署、役割を指す。大久保は、CoEこそデジタル庁が担うべき役割だという。現在準備中のデジタル庁では、政府CIO補佐官が中心となり、どの行政機関でも使えるパブリッククラウド活用テンプレートの作成に着手するなど、大久保の言うCoE的な動きも着実に進んでいるようだ。

デジタル庁には、永田町や霞が関の事情を汲んだプロダクトアウトの発想ではなく、ユーザーのニーズを捉え、時には国会議員に「ノー」を突きつけるようなマーケットインの感覚が求められるという。

未来を変える公文書

大久保は最近、嬉しいことがあったという。

「僕が草の根的にしつこくDX推進、DX戦略と言い続けていたら、職員が公文書に『DX』と書き始めたんです。傍から見ればまだまだアナログなプロジェクトなのですが、正式な文書に『DX』が載った。『時代が変わる』と思いましたね」

小さな発言でも公文書に残れば、誰かの目につき、活用してもらえる可能性がある。

「手柄はいらないので、僕の取り組みがどこかで生かされてほしい。そのために仕事をしている気がします」

現在、各省庁でＩＴ人材の獲得が盛んに行われているが、問題は給与と任期だ。特別任期付き雇用の場合、求めるスキルは高いにもかかわらず、給与は民間のグローバルＩＴ企業などと比較して圧倒的に低い。任期はわずか2年。これが同じく特別任期付き雇用の弁護士の場合、給与が優遇されており、任期も5年まで延長が可能だ。ＩＴ人材が軽視されているように思える。

「これを変えたくて、僕らはずっと関連する省庁へ提言し続けてきたのですが、なかなか響かなかったんです。でも今回、デジタル庁設立の流れから人事院が正式に検討を始めることになりました。ＩＴ人材の待遇が改善されれば、霞が関のＤＸはかなり進むと思いますよ」

停滞した場面を変えたいとき、よく「大胆な発想が必要」などと言われる。ＤＸもそうだ。しかし、発想は一夜にして大胆にはならない。発想というものは、その人が置かれた環境やどっぷり浸かってきた常識の範囲内から生み出されるものだからだ。

「人は自分が想像できる範囲のことをやる。だから、常識から変える必要があるんです。

組織が想像できる範囲を広げ、風穴が空いたら一気にシフトしていく。意見を持っている人、長いものに巻かれない人、そういう人たちに霞が関の中に入っていただけると、この楽しさがわかってもらえると思います」

未来は変えられると信じてやまない大久保の目には、ＤＸの先の未来が見えているのかもしれない。

経済産業省——日本企業よ、一発屋で終わるな

2025年、老朽化という時限爆弾

「スカイプで大臣と会議するなんて、僕の20年以上の役人生活からは考えられないことです。ちょっとでも繋がらなかったら『おい、繋がらないぞ』と怒られるでしょう。震えて仕事をするくらいなら初めから大臣の横で待機しますよ」

経済産業省商務情報政策局の田辺雄史(たなべたけふみ)は、省内でテレワークが議論され始めた当初、内心こう考えていたと言う。だが、予想は裏切られることになる。コロナ禍で変化を迫られたのは霞が関もまた同じだ。数カ月前なら、「大臣、もう一度お願いします」なんて言った日には「聞いていなかったのか」と叱られただろう。だが、テレワークが浸透した今は、皆がオンライン会議のやりとりに寛容だ。

田辺は、2018年に経産省が発表した『DXレポート〜ITシステム「2025年の崖」の克服とDXの本格的な展開〜』(以下、『DXレポート』)を所管する、ソフトウェア・情報サービス戦略室長を務めている。

『DXレポート』によると、2018年から2022年の日本のIT産業の成長率は、わ

ずか1・1%の見込みに留まるという。成長のためのIT投資ができていないということだ。『DXレポート』に込めたのは、「攻めのIT投資の足かせとなっているレガシーシステム（時代遅れになってしまったコンピューターシステム）を刷新し、DXを進めることで日本企業の競争力を高めていこう」というメッセージである。重要なのは後半部分。デジタルを前提として企業文化や仕事のやり方を変え、新たなビジネスモデルを創出し、競争優位性を高めることにある。そのために、「レガシーシステム刷新レポート」ではなく、当時まだ世間に浸透していなかった「DX」という言葉をあえて選んだ。

日本企業は、一度作ったものを長く大事に使う傾向がある。例えば製造業では、一度製造装置を導入したら、改善に改善を重ねて生産性を高めることで、製品1個あたりの単価を抑えてきた。これが競争力となり、「ものづくり大国ニッポン」は形作られた。だが、ITの世界はそうはいかない。

古いシステムを使い続けることは美徳でも何でもない。2025年には21年以上稼働する老朽化したシステムが6割以上を占めることになる。面倒を見られる人がいるうちはまだいいが、2025年以降、これらをメンテナンスしているIT担当者が一斉に定年を迎える。同時に、古びたシステムはサポート終了を迎え、ベンダーの保守も受けられなくなる。さらに、２０２５年はすなわち昭和１００年だ。昭和元年から2桁で年数を数えるシステムが、２０２５年を迎えた瞬間、誤作動を起こす可能性がある。まさに時限爆弾だ。

『ＤＸレポート』では、これらレガシーシステムの課題を克服できず、ＤＸが進まなければ、２０２５年以降、最大で年間12兆円の損失が生じる可能性があると警告した。これを真摯に受け止めて行動した日本企業は、どれくらいあったのだろうか。

伝わらなかった『DXレポート』の真意

『ＤＸレポート』の評判は上々だった。攻めのＩＴ投資に経営陣の理解が得られないと嘆く企業のＩＴ担当の部長にとって、『ＤＸレポート』は言わば経産省お墨付きの説得材料だったのだ。それまでＤＸはあくまでも個々の会社ごとの経営課題であり、政府が率先して勧めてくるようなものとは捉えられていなかった。孤軍奮闘するＩＴ部長からすれば思わぬ援軍、「経産省よ、よくぞ言ってくれた」といったところだろう。

ところが、事態は予期せぬ方向に進んでいった。確かな数字をもとに危機的状況を記した『ＤＸレポート』は、ベンダーやシステムインテグレーターの提案書にも恰好の材料だったのだ。『ＤＸレポート』を介し、レガシーシステム刷新の方法論ばかりが取り沙汰されるようになった。俗に言う「手段の目的化」だ。

さらに、IPA（独立行政法人情報処理推進機構）が行った「DX推進指標を用いた自己診断」の結果は衝撃的だった。回答した約500社のうち、実に9割以上の企業がDXに未着手か、散発的な取り組みに留まっていることが明らかになったのだ。日本企業のDXは、途上、あるいは未開のレベルにあると言わざるを得なかった。一方で、2019年のホストコンピューターの出荷台数は前年比で約30%増。結局、多くの経営者がリホストに投資しただけで、その先のビジネスモデルの創出にまで本腰を入れようとはしなかった、または入れられなかったのではないか。

挙げ句の果てには、レガシーシステムの延命を生業(なりわい)とする企業から、「うちのソフトもDXレポート公認にしてください」という要望を山ほど受けるようになった。いつの間にか『DXレポート』は、使う人の思惑によってさまざまな解釈がされるようになっていた。

経営者たちはなぜ、デジタルを使って新たなビジネスモデルを創出することに消極的なのだろうか。『DXレポート』を執筆した経済産業省商務情報政策局の和泉憲明(いずみのりあき)は、「カイゼン」が過去に世界に誇れる成果を出してきたからこそ囚われすぎているのではないかと分析する。

「我が国は、何かをカイゼンし、少しでもよくなったら成長した気分になるということを繰り返しています。DXのXに当たる『Trans』は、上下が反転するという意味を持っていますが、そういう大きな変化を嫌う。『それなりに順調なのに、既存顧客に対して決別を意味するような施策をわざわざする必要があるのか』というのが本音でしょう」

「既存顧客が離れたらどうする」「混乱したらどう責任を取るんだ」こう言われてまで変革に舵（かじ）を切れる経営者はどれくらいいるだろうか。『DXレポート』を書いていた頃は、レガシーシステムという技術負債こそ足かせだと思っていた。だが本当の足かせは、その技術負債を是とする企業文化やマインドなのだと和泉は気づいた。

　新型コロナウイルスが猛威をふるい始めたのは、そんな折だった。人々の固定観念は大きく揺さぶられ、出社、押印、対面会議など、疑うことなく続けられてきた働き方は次々に批判の的となった。ここで変われない企業は確実に敗者の道を歩むだろう。そして、和泉にとってコロナ禍は最後通牒（つうちょう）にも思えた。新たなメッセージを発信するなら今しかない。

　2020年12月、経産省は『DXレポート2』を発表した。サブタイトルには「中間取りまとめ」とある。コロナ禍で増したDXへの切迫感が発表を急がせたのだろうか。田辺、和泉に、『DXレポート2』に込めた思いを聞いた。

親愛なる日本のITベンダーへ

『DXレポート2』のポイントは大きく二つ。

一つは企業向け。競争優位性を確保するため、変化に迅速に適応し続けること。システムのみならず、企業文化(固定観念)を変革することの重要性が強調された。目を引くのは二つ目。日本のITベンダーの目指すべき方向性が明確に示された点だ。

- 現行ビジネスの維持・運営(ラン・ザ・ビジネス)から脱却する覚悟を持ち、価値創造型のビジネスを行うという方向性に舵を切るべき
- ユーザー企業とDXを一体的に推進する共創的パートナーとなっていくことが求められる
- また、ITに関する強みを基礎として、デジタル技術を活用して社会における新たな価値を提案する新ビジネス・サービスの提供主体となっていくことも期待される

(『DXレポート2』概要より)

田辺は、「日本企業のDXが進むにつれて、受託開発型のビジネスモデルを展開してきた日本のITベンダーが、自らサービスを提供する海外の巨大プラットフォーマーと互角に渡り合えるのか」と危機感をあらわにする。

日本のシステム開発は、ユーザー企業がお抱えのＩＴベンダーに委託し、ＩＴベンダーはまたその下請け企業に再委託、そうして完成したシステムを納品するのが一般的だ。対価はシステム開発にかかった労働量で決まる。そのため、意地悪な表現をすれば、ＩＴベンダーは大規模開発をまるごと受注し、開発を長引かせれば長引かせるほど儲かる仕組みになっている。遅くまでオフィスにいるだけで残業代が発生する仕組みを想起してしまう。

一方米国では、ユーザーである企業内部のエンジニアチームが自らシステム開発をする。そして、ＩＴベンダーの多くが自社プロダクトを開発し、サービスを提供したりプラットフォーマーとしての役割を担う。対価は労働量ではなく提供価値に基づくものだ。

田辺は、「日本企業のＤＸが進み、米国のように内製化が進めば、受託開発の規模や案件数は減っていきます。日本のＩＴベンダーは、現行のビジネスモデルから脱却する覚悟で価値創造型のビジネスに舵を切るべきです」と語る。

経営者に求められるリテラシー

まとめると、『ＤＸレポート２』が日本のＩＴベンダーに示した道は二つ。一つは、受託開発だけではなく自らサービスを提供する側に回ること。もう一つは、ユーザー企業の共創的パートナーとしての役割を担うことだ。

他社との競争領域を担うシステム開発では、ユーザー企業内部に仮説・検証のサイクルを素早く回せるアジャイル開発体制を構築し、市場の変化を捉えながら小規模な開発を繰り返せるのが理想だ。だが、これまでITベンダーに依存してきたユーザー企業が単独でこのような開発体制を築くのは難しい。ここで期待されるITベンダーの役割は、言われたものを作るのではなく、ユーザー企業と一つのチームとなり、協力して内製開発を実践する「共創者」となることだ。

このような取り組みをすでに始めているITベンダーもいる。第2章で取り上げるセブン銀行と内製化開発を進めている「情報戦略テクノロジー」もその一つだ。彼らは、「Myセブン銀行アプリ」のリリースと最初の緊急事態宣言の時期が重なるという厳しい状況の中、1週間でゼロトラストのリモート開発環境に移行した。受発注の関係では、ここまでのスピードは出せなかっただろう。2社は、「ピンチをともに乗り越え、経験値が上がり、さらに信頼関係が深まった」と共に語っている。

ITベンダーを「共創者」たらしめるのはユーザー企業だ。ユーザー企業にITベンダーと協働していく覚悟がなければ、お互い受発注の関係から抜け出せない。『DXレポート2』に描かれる「共創」には、ユーザー企業に対して自立を促すメッセージも込められている。本書で取材したどの企業にも感じたことだが、DXには経営層のコミットメントが不可欠だ。一方で、経営層がIT知識のなさを馬鹿にされたくない一心で関わることを避け、それがまかり通っているケースも見られる。和泉は、経営層に最低限必要なのは「エンドユーザーの普通の感覚」だという。

「例えば、ジュースの自動販売機に『ありがとうございました』と言われて、ぜひまたその自動販売機で買いたいと思いますか? 『うちは自動販売機のビジネスをやっているから、これがしゃべったらDXだよね』といったように、『ないよりもあったほうがいい』という感覚で議論がされていると想像するのですが、経営層に必要なのは、『それ、ユーザーは別に嬉しくないよね』という感覚です」

合同会社「しらすとたまご」

「エンドユーザーの普通の感覚」は、行政にも強く求められるものだ。

2021年1月、筆者は厚生年金加入などの利点を考えて、個人事業主から合同会社へ法人化した。社名は「しらすとたまご」にした。外出自粛期間中、期待せずに食べたしらすとたまご丼が絶品で、そのままでも温めても冷めても美味しいところが社名の由来としておあつらえ向きだと思ったのだ。

一人合同会社の設立申請は、定款認証と設立登記を除いてオンライン化されていた。「法人設立ワンストップサービス」といって、デジタル・ガバメント実行計画の一端だ。残る定款認証と設立登記も、2021年2月下旬にオンライン化されたが、残念ながらこのタイミングではまだ紙での手続きだった。

筆者は、この定款認証と設立登記でつまずいた。法務局への申請だけで、21箇所も捺印が必要だったのだ。割印のコツが摑めず、中指のペンだこが真っ赤になるまで何度も押し直した。昔から事務作業が苦手だ。きっと何か不備があって戻ってくるに違いない。オンラインならその場でエラーメッセージが表示され、申請前にミスが防げるだろうが、紙はそうはいかない。定款に収入印紙を貼付し、その上にも捺印が必要だと知ったとき、恥ずかしながら「収入印紙」の意味がわからず検索した。150年近く前、明治6年から続く伝統的な納税の手法らしい。

その翌日が田辺と和泉への取材日だった。もちろん定款認証と設立登記は経産省の管轄ではない。2人は運悪く、怒りの冷め切らぬ筆者の愚痴を聞く羽目になってしまったのだ。

2人は優しかった。和泉は、行政のデジタル化にまつわる課題をこう語った。

「政府の人間は、紙をなくせ、ハンコをなくせと言いますが、紙やハンコの手続きをそのまま電子化すればいいと思っている役人も相当数います。酒井さんの言う通り、今どきのオンラインショッピングでは、入力した項目が正しいかどうかはその場でわかります。でも、今の役所のシステムはそうでないことがほとんどです。オンラインショッピングでそれだったら皆ぶち切れますよね。今後はますます、そういう普通の感覚が問われることになると思っています」

役所は、「コンビニでマイナンバー付きの住民票が出せます」と胸を張る。しかし、住民票を出さなくてもいいようにするためのマイナンバーではなかったか。日本は国民が申請しないと先に進めない申請国家だ。今すぐにゼロストップは無理でも、せめてオンラインでワンストップ化を望む。案の定、定款に不備があり法務局に呼び出された筆者は、そう強く思った。

「トレーサブル」こそ役所に必要なDX

役所の変革こそ一筋縄ではいかない。例えば、住民基本台帳を紙で運用するのは止めようという議論は政府を二分する。デジタル化に賛同するのは技術変化が速い所管業種に携わる人たち。それ以外の人たちは、先輩から受け継いできた政策をまずは「是」とするのが役人のイロハだと、役人としての心構えを問うてくる。技術が理解できるかどうか以前に、そんな小さなものさしでしか国民を見ていないとは。

過去を省みることは未来を作ることだ。正しく省みるには、自分たちの政策をきちんとトレースできる仕組みが必要だ。田辺は、「これこそが役所に必要なDXだ」という。

「例えば、経産省が出した各種補助金がどう使われ、最終的にどのような成果を上げたのかというのは、報道や企業へのヒアリングやアンケート調査等によって把握するしかないというのが実情です。それ以外に観測する術がないのです。これが多くのECサイトやウエブサービスと同様に、ユーザーの動きを把握してトレースできれば、隠れた課題を明らかにし、次の政策で軌道修正できます」

何かというとすぐに責任問題になるのが役所の常だ。また、政策の長い検討期間は万全を期すためのもの。最初から完璧を目指そうとして時間切れ、タッチの差で助けられない人もいる。政策をトレースする仕組みがあれば、まずはスピード感を持って政策を投入し、仮説検証を繰り返して徐々によりよくしていくこともできるのではないか。

今はまだ願望に過ぎず、これが正解かもわからない。だが、デジタルの力で健全な政策運営のベースを作ることは国民に資すると田辺は考えている。

日本企業よ、一発屋で終わるな

コロナ禍は一過性の特殊な事象ではなく、今後も起こりうる事業環境の変化の一つだ。だからこそ、嵐が過ぎるのを待つ企業と、死中に活を求めてひたすら行動する企業とでは、大きく差が開いたに違いない。

和泉は、嵐が過ぎるのを待つ企業を「一発屋のアナロジー」と表現する。

「昔からずっと同じ芸をしている人が、ある日爆発的にヒットして、仮にその後もずっと『そんなの関係ねぇ』ばかりやっていると、その人は忘れられていくと思うんですよね」

私たちは無意識に、これまでたくさんの一発屋と呼ばれる人たちを見てきた。メディアに要求されるがまま同じ芸を繰り返し、それは視聴者が求めていないからと新しい芸は無視される。そして、変化を見せる間もなく数カ月後には表舞台から消えていく。和泉は、この状況は何も芸能界に限ったことではないという。

「ものづくり大国と一時期高く評価された我が国の製造業各社は、多分にそういう歴史をたどっているのかもしれません。ほとんどのユーザーがパソコンからスマホに移っているのに、未だにパソコン主体のビジネスをしている企業などは、一発屋と同じになりかねない」

日本企業が一発屋として忘れ去られないための策を『ＤＸレポート』になぞらえるなら、「新しい芸を生み出し続けること」だろうか。１００個のネタを考えたら、そのうち一つはまた爆笑をさらえるかもしれない。

金融庁――人間の力だけでは不正を見抜けない

「デジタル庁、民間人材を募集」、そんな見出しがメディアを駆け巡った2020年の末、金融庁も人知れずDX人材公募の準備を進めていた。経済産業省、農林水産省に続き、金融庁もようやく人材採用予算の目処がついたのだ。しかし、これまで通り金融庁のウェブサイトで公募しても民間のDX人材は振り向いてくれない。少しでもターゲット層の関心を集められるよう、即戦力人材に人気の転職サイトも使った。

だが、一般的に金融庁は金融機関を厳しく監督・監視するところ、もしくはTBSドラマ『半沢直樹』の黒崎検査官のイメージではないだろうか。それは金融庁のほんの一面でしかない。金融庁とは何をするところで、どのようなDXを進めていこうとしているのか、金融庁総合政策局の稲田拓司（いなだたくじ）に話を聞いた。

検査官は顧客第一主義

銀行員の半沢直樹と対峙する黒崎検査官は、当初その皮肉っぽい言動も手伝って悪役のように映る。しかし、ドラマを最後まで観た視聴者であれば、「黒崎、半沢のこと好きすぎる」という感想を持つはずだ。実際の金融庁と金融機関の間柄もそれに近い。

金融庁は、金融機関の健全性や市場の公正性の確保などに務めるほか、システム障害や不正アクセスなどのトラブルが起きた際、その原因や再発防止策についてモニタリングをする役割を担っている。２０２０年10月に東京証券取引所のシステム障害が発生した際には、東証とＪＰＸに対し、金融商品取引法に基づく業務改善命令を出した。

障害が発生した機器の不備を把握できていなかったことや、売買再開のルールが整備されていなかったことを指摘するとともに、迅速な再発防止策の実施や責任の所在の明確化、そして金融庁への定期的な報告を求めた。東証は、２０１８年10月のシステム障害を契機にさまざまな対策を講じてきたが、それでも２０２０年10月の障害を防ぐことができなかった。金融庁は「再びシステム障害が発生し、終日全ての取引が停止に至ったことは投資者等の信頼を著しく損なうもの」として、事態を重くみたのだった。

金融庁の役目は、トラブルを起こした金融機関の責任を追及することではない。そこから再発防止のヒントを掴み、広く他の金融機関にも周知することだ。金融機関の合併や大規模なシステムの統廃合、また、暗号資産交換業者やデジタルバンクといった新たなジャンルの金融機関が営業を開始する際にも、システム設計やサイバーセキュリティ対策、窓口業務の教育に至るまで徹底的に不備を洗い出す。金融庁が蓄積してきた古今東西さまざまな金融機関の失敗の歴史が、ほころびを見つけ出すための材料となっている。

「金融庁職員にも『半沢直樹』好きは多いですよ。黒崎みたいなキャラクターの検査官はいませんけどね」と稲田は言う。

ドラマ『半沢直樹』にはこんなシーンがあった。半沢が出向したセントラル証券に、突然、黒崎率いる証券取引等監視委員会が検査にやってくる。徹底的な検査を進める黒崎は、不正の証拠となるデータの隠し場所としてついにクラウドストレージに目をつける。半沢と協働する敏腕プログラマーはデータの消去を試みるが……というものだ。

現在は金融庁の情報システム部門を担う稲田も、以前は検査官だった。「実際の検査でも、パソコンやハードディスクなどを押収するケースがあります。デジタルフォレンジック（デジタル鑑識）と言って、中のデータを保全した上で解析したり、消されたデータを復元するということもやっています。これによって、経営陣が社員に対して不正行為を働きかける指示を出した証拠を炙り出したこともあります」

ちなみに現実の世界では、証券取引等監視委員会の検査を妨害すると、金融商品取引法の検査忌避にあたる。ドラマに当てはめれば、半沢個人には1年以下の懲役または300

万円以下の罰金、セントラル証券には2億円以下の罰金が科せられる可能性がある。

「正直、ダメ出しをするのがつらいときもあります」、そう稲田は語る。

「ときには金融機関の取り組みに、『これは危ない』とブレーキをかけなきゃいけない。早い段階でリスクに気づければいいのですが、最後の最後になって発覚するケースもある。そうなると『カットオーバー（新システムを稼動させること）の延期を検討』といった話をしなければならないこともあります。延期すれば、金融機関の経費負担は何十億円も増える可能性がある。でも、リスクをそのままにして突っ走ることで最終的に被害を受けるのは顧客、国民の皆さんです」

顧客の信頼が損なわれれば、金融サービスは成立しない。システムを含む金融機関の顧客保護態勢をモニタリングし、正し続けることで、金融機関の信頼獲得を影で支えるのが金融庁の重要な役割だ。

国際会議の場でも指摘される金融庁の後れ

金融庁は、「金融ＤＸ」を掲げ、金融機関等との行政手続きの完全電子化を進めている。現在、金融庁が管轄する１７６７の手続きの種類のうち、オンラインで対応可能なのは

160、わずか約9％にとどまる。一方、2020年に受け付けた約130万件の申請のうち、オンラインでの申請は約110万件、約85％にも上る。金融庁に用がある人々は、着実にオンラインに移行しているということだ。

稲田は、「金融庁はデジタル化に後れを取っている」と語る。前例踏襲で旧態依然としたシステム運用を続けてきた金融庁は、デジタル化の前に、まずは業務改革（ビジネス・プロセス・リエンジニアリング）が必要だという。

国際会議に出席している幹部職員からも「金融庁はシステムの自由度が低い」と指摘されたことがある。国によって状況が全く違うため一概に後れているとは言えないが、単純に横並びで比較すると、金融庁は業務もシステムも後れているように映るという。

見直すべき業務には、どのようなものがあるのだろうか。例えば、金融機関には金融庁が求める報告書や届け出を提出する義務があるが、同じ内容のものを他の規制当局や自主規制団体にも出さないといけないことがあるという。一つ作ってそれぞれに送るならまだ楽だが、現状は、フォーマットがバラバラで使い回しができない。

「これを一本化して、ワンストップにできるようにしてほしいという提言が寄せられています。こういった意見を真摯に受け止め、関係機関と協力しながら改善を続け、金融機関がより生産性の高い業務に注力できるようになればと考えています」

高度化する金融取引と、高度化するべき金融庁

金融取引や金融サービスの高度化も、DX人材の必要性に拍車を掛けている。進化が著しく、もはや人間の力だけではモニタリングしきれないのだと稲田は言う。「例えば、証券取引には高頻度取引や高速取引と呼ばれるものがあり、ミリ秒単位のスピードで取引されます。そんな処理の中で相場操縦をされると、不正をすぐに見抜けなかったりするわけです。しかし、どんな時代になったとしても、公正な取引市場を維持していくのが金融庁の使命です。取引の仕組みが高度化すると同時に、それをモニタリングするわれわれも高度化していく必要があります」

悪意ある人々は、高度化した仕組みを巧みに利用する。そんな中「Excelで不正な取引を再現してみよう」なんてやってはいられない。この先は、AI、スーパーコンピューターあるいは量子コンピューターの運用といったように、これまで金融庁がやってこなかった方法で、悪意に対抗していく必要が出てくるだろう。

「正直言って私もそろそろ隠居を考える歳ですが、毎日が勉強です」と稲田は笑う。新し

い技術や世の中のトレンドを理解し、可能な限りそれを使いこなしていく必要があるという。稲田自身、国内外のＩＴトレンドやサイバー攻撃の手口には常にアンテナを張り、スマホに通知が届くよう設定している。外の専門家との情報交換も繰り返し行い、コロナ禍以前は、頻繁に全国の金融機関を回ってサイバーセキュリティの勉強会を行っていた。

金融庁には、金融機関のＩＴガバナンスをモニタリングする役割もある。これは、金融機関の経営陣が、きちんとＩＴ戦略に関与し、実際にコントロールできているのかを見極めて、できていなければ意識改革を促すものだ。指摘する金融庁自身がトレンドを追うことを怠れば、巡り巡って金融機関のレベル低下にもつながるだろう。

目指すはスプテック

ＤＸに終わりはないことを大前提に、現時点の金融庁が描くＤＸのゴールは何だろうか。想像するにその鍵は、レグテック（RegTech）、スプテック（SupTech）と呼ばれるものにあるのではないだろうか。

レグテックは、規制（Regulation）と技術（Technology）の組み合わせから派生した造語で、主に新たなテクノロジーを活用し、複雑化・高度化する金融規制に効率的に対応するためのＩＴソリューションを指す。コンプライアンスや意思決定プロセス監視の自動化を目的とした技術などがそれに当たる。レグテックが規制される側なのに対し、スプテックはSupervisory（監督）Technologyの略で、規制当局側の同様の革新を指す。

金融庁の立場からすれば、金融庁と全国の金融機関がリアルタイムに情報交換でき、金融機関がわざわざ分厚い報告書を作らなくともデータをシステムに投げ込めば良し悪しがわかり、金融機関の健全性が担保される世界が理想だろう。

世の中には効率化、ワンストップ化の流れが生まれている。現在の日本は、引っ越しの住所変更や、婚姻時の名字変更など、人生の節目ごとに複数の窓口に対して手続きが必要で、非常に煩雑かつ非生産的だ。河野太郎行政改革担当大臣は「それらを令和3～4年度中に何とかワンストップにできないか各省庁と議論を始めている」と明かしている。今までの常識が見直される中、さまざまな利害関係者が当事者意識を持って議論に加わっていくプロセスは決して無駄ではない。

コロナ禍がもたらした大きな一歩

金融庁もコロナ禍への対応によって業務のデジタル化が進んだ。もともと東京オリンピック・パラリンピック期間中の出勤抑制に備えてテレワークの仕組みは構築していたが、モビリティに優れた軽量ＰＣの配布や、複数のオンライン会議システム、ビジネスチャットツールの活用が進み、非対面でのモニタリングも可能になりつつある。

また、政府が廃止を宣言した日本独自の脆弱なセキュリティ対策「ＰＰＡＰ（パスワード付きZipファイルの運用）」は、金融庁も２０２１年１月をもって運用を停止した。「一部金融機関や、海外とのやりとりを担う国際部門から『いつまでＰＰＡＰを続けるのか、恥ずかしい』と言われ続けてきました。解消できてよかった」と、稲田は胸をなでおろす。だが、長く続いた作法をすぐには変えられないのか、未だにＰＰＡＰを続ける職員を見かけることもあるらしい。現在はそれを見つける度に改善指導をしているとのことだ。

ＩＴ技術の発達で、従来のルール通りでなくても安全性が確保できるようになった。むしろ利便性を置き去りにして古いルールを頑なに守り続けようとすることが、危険な回避策やシャドーＩＴ（企業や組織の管理者の認知外で社員らが使うＩＴデバイスなどのこと）を生み、脆弱性に繋がることもある。よくある「拡張子を『zi_』から『zip』に変更して開封してください」といったものはその最たる例だ。

ツールは入れたら終わりではなく、使い勝手や生産性を継続してモニタリングし、改善していくといったサービスマネジメントの視点が必要だ。金融庁は今、DXのスタートラインに立ったばかりだ。まずは、民間の新しい視点を取り入れ、時代に合った最適なシステムを構築することで、金融庁自身、そして金融業界全体の業務改革を推進していく。

デジタル庁と各省庁のこれから

さて、金融庁のDX人材公募が報じられると、SNSには「デジタル庁を新設しながら各省庁でも同様の人材を採用するべきか」といった議論が散見された。DX人材はデジタル庁に集約し、省庁横断的に活動していくほうがいいということだろうか。筆者は、デジタル庁にいくらよい人材が集まったとしても、各省庁の中にDX人材がいなければ、結局デジタル庁と各省庁が受発注の関係になるだけで改革は見込めないと思う。

デジタル庁は定員393人（新規増員160、他府省からの振替233）、非常勤職員と合わせて500人程度を集める。各省庁からデジタル庁に出向し、デジタルに揉まれて戻っていくという流れを作ると同時に、各省庁もDX人材を採用・育成し続け、それぞれの領域でDXを進めていく。

特別取材① 鎌田敬介

いかに大企業といえど、組織を動かしているのは血の通った一人ひとりの人間だ。DXの阻害要因を突き詰めていくと、技術面よりも、人の問題に行き着く。

2019年、パーソル総合研究所がアジア太平洋地域で実施した調査では、社外での学習や自己啓発について、日本は「特に何も行っていない」が46・3%に上り、他に20%程度の差をつけて1位となった。

国内外でサイバー攻撃演習を実施している鎌田敬介（かまたけいすけ）は、活動を始めた2007年当時と比較して、特にASEANにおける参加者のレベルが格段に上がっていると証言する。欧米への留学経験者も増えて英語で活発に議論できる上、演習の終了後も質問が飛び交い、有事に見舞われたときに相談できるよう、人的コネクションの維持にも余念がないという。

一方、「会社に行けと言われたから参加しました」というのが日本の参加者のスタンダード。主体性に乏しく、参加者同士で議論してもらうきっかけを作るのにも苦労することがあるという。経済成長が鈍化し、「失われた30年」などと揶揄される現在の日本だが、サイバー攻撃演習の取り組み方一つ取っても、その一因が垣間見えるようだ。この傾向が、日本企業のＤＸに無関係とは言い難い。

ここでは、「日本企業のＤＸの課題は、勉強する気のない子どもをどうやってやる気にさせるかに似ている」と表現する鎌田に、日本企業のＤＸを阻害する要因と、どうすればＤＸが進むのかを尋ねた。

鎌田敬介の経歴を簡単に説明しておくと、20代後半から国際会議での講演や運営に関与しながら、国際連携や海外セキュリティ機関の設立を支援してきた。２０２１年現在も、金融ＩＳＡＣ ＣＴＯ、金融庁参与、株式会社Armoris取締役専務ＣＴＯなど数々の肩書きを持ち多忙な日々を送っている。

ＤＸで騒いでいるのは日本だけ？

――18年間で42カ国を訪問し、渡航回数１５０回を超える鎌田さんですが、諸外国でもＤＸが急務として叫ばれているのでしょうか？

鎌田　アメリカで日本のＤＸの話をしたら、「今頃20年前の話をしているの？」と言われたことがあります。アメリカの株価時価総額ランキングを見ると、20年前はＩＴ企業なんて1社しかなかったのが、今は20社中19社がＩＴ企業です。もちろんアメリカというだけで一括りにはできませんが、すでに経済がＩＴに大きく依存しているアメリカは、ＤＸが進んでいると言えるでしょう。

日本では、ＩＴ時代が到来する前に経済的な黄金期を迎え、そのレガシーとともに社会的基盤が確立しました。一方、東南アジアの新興国では、日本のように成熟した社会制度や会社組織がない中で、安価にさまざまなことを実現するための手段として貪欲にＩＴを活用してきました。実益のために一生懸命ＩＴ人材を育ててきた国と、整った社会基盤、経済基盤の上に後からＩＴが入ってきて、「文房具の延長」のように扱ってきた日本。その違いは大きいと思います。

――「文房具の延長」ですか。

鎌田　ＤＸなんて、「ＩＴをもっと高度に活用して仕事をしよう」と考えてきた人たちにとっては当たり前のアプローチです。しかし、紙や鉛筆、手紙や電話の代わりくらいにしかＩＴを使ってこなかった人たちにとって、ＤＸは社内に掲示されたお知らせの紙程度にすぎません。ＤＸで騒いでいるということは、ＩＴ活用が進んでいなかったことの裏返しと言えるでしょう。

専門性がないことを恥ずかしげもなく語る「名ばかりCIO」

――諸外国と日本の経営層を比較して、DXを阻害する要因はどこにあると思いますか？

鎌田　経営層にITのプロフェッションがいるなんて、日本の大企業ではいたって稀です。その会社の中ではITの仕事をしてきた人かもしれないけれど、グローバルで同規模企業のIT担当役員と互角に会話ができるかというと、雲泥の差があるんじゃないかと。

――「名ばかりCIO（情報システム最高責任者）」が多いとも聞きます。

鎌田　アイスブレイクのつもりなのか、自ら「名ばかりCIO」を名乗る担当役員もいるくらいです。「自分は何の専門性もないのにこの仕事を任されているんです」なんて、かなりの問題発言だと思うのですが。

――詳しい人を登用しようにも、社内にいないのかもしれませんね。

鎌田　メンバーシップ型雇用の弊害ですね。新卒入社の時点で専門性があるから伸ばしていくのではなく、ジェネラリストを育てていくというスタイル。この日本型雇用が限界に来ていることは多くの方が指摘するところですが、問題だとわかっていながら、専門性のある人材を採用することも、育てることもしていない。

――「社員にスキルをつけさせたら転職しちゃうじゃないか」なんてことを言う役員もい

ますよね。

鎌田　社員のスキル向上に投資しないということは、何も学ばない人たちが社内に居座り続けるということです。確かにスキルをつけた社員が辞めるケースが多いのは事実です。しかし、それはその会社がスキルのある人にとって魅力的ではないというだけの話ですからね。

——海外では、専門性を身につけてから就職するのが一般的なのでしょうか？

鎌田　アメリカ人の友人の娘が高校生だったときに、大学の専攻をフォトグラフィーかコンピューターサイエンスかで迷っていて、「コンピューターサイエンスを学んでからフォトグラフィーの仕事をするのもいいんじゃない？」とアドバイスしたら、「大学はプロフェッショナルコネクション（人脈）を作るために行くところなので、何を専攻したかがその後の職業人生に大きく影響する。コンピューターサイエンスを選んで後から転向するなんて、キャリアを考える上で現実的じゃない」という答えが返ってきました。

——全く意識が違うんですね。一般的な日本の進学コースをたどった私など、ギリギリでもよいからとりあえず単位を取って、卒業しさえすればいいと思っていました。

鎌田　日本の大学では文系と理系という概念があって、どちらに進学するか迷った人も多いと思いますが、日本の文系と理系の概念をアメリカ人に説明すると、彼らは「文系に行った人は就職に困るんじゃないか」って心配するんですよ。文系のスペシャリティを持っていても、これだけデジタル化が進んだ今となっては仕事がないだろうと。

形式にとらわれすぎる社員

——諸外国と日本の会社員を比較して、DXを阻害する要因はどこにあると考えますか?

鎌田 従来型の日本企業の人たちは形式的なことに興味を持つ、ということがまず言えます。そして海外と比較しなくても、日本でも今風な企業の人たちは、実質的なことに興味があるように思います。形式的なことというのは、服装はスーツにネクタイとか、毎朝9時に出社するとか、仕事のやりとりは会社のメールアドレスでないといけないとか。業務効率が改善する可能性があるのに、そこから逸脱してやろうとは思わない。今風な人たちは、メールでなくてもメッセンジャーやチャットなど、より速く快適に連絡がとれればよいと考えています。

どうってことのない違いに思えるかもしれませんが、これが実際のビジネススピードに大きく影響するんです。ある日本企業が東南アジアの国の通信省の役人とアポを取るのに公式ルートで3カ月かかりました。一方、私に知り合いのツテがあってLINEから連絡したところ、たった5分でアポが取れてしまったんです。

——それは大きな差ですね。私も普段、「LINEで5分」な人たちと働くことが多いのですが、久しぶりにそうでない人と接すると、面倒くささを感じてしまいます。

鎌田　私もそうです。グローバルでも、「きちんと手順は踏むけれどそのぶん遅い企業」はもう相手にされなくなると思いますよ。

——形式を重視するあまり損をする例は他にもありそうですね。

鎌田　ある日本の大企業が、海外のクラウドサービスを使いたいとなったとき、そこの営業に来てほしいんだけど、日本に担当者がいなかったんです。簡単な説明をしてくれる人も置いていません。じゃあ見積もりを作ってくれと言っても、見積もりも作ってくれません。どうすればいいんだと聞いたら、「試しに使ってみて、よかったら買ってください」と。

しかしその企業には、そんなふうにサービスを買う習慣がなく、旧来の商慣習を踏襲するために、別のIT商社に見積もりを作らせて、毎月1500円で済むサービスに何倍ものお金を払ってようやく使えるようにしていたんです。

——コスト削減を重視しているのに、形式を守るために平気で無駄遣いをしてしまうと。

鎌田　しかも、無自覚でやっているケースが多い。見積書にハンコが必要というのも形式的ですし、本当は見積書なんてなくてもメールに金額が書いてあるだけで事足りるはずです。

——「日本企業は失敗を恐れる」とはよく言われますが、そういった組織文化がDXを阻害することもあるのでしょうか？

鎌田　失敗を恐れるというよりは、「試しにやってみよう」くらいの感覚で新しいことに取り掛かるような、ライトウェイトな仕事のやり方ができていないということだと思います。何をやるにも検討に時間をかけ、大仰な社内儀式を経てやっとやるかやらないかが決まる。やり始めるまでのコストが高すぎて、「試しにやってみて、失敗して、また次」と気軽に回せるようなスピードで仕事ができないということだと思います。

「自分の考え方は古い」と自覚することが、DXの第一歩

——課題山積であることはわかりましたが、ズバリDXはどうすれば進むと思いますか？

鎌田　まずは、形式重視から実質重視な組織に変わること。形式重視の人たちがどうしたら実質重視に変わるかというと、自分の考え方は古いと自覚する機会を増やすことです。

いっとき、いろいろなＩｏＴデバイスを買い込んで遊んでいたのですが、海外製品は大抵どれも他のデバイスと連携させる目的でデータが取得できるのに、日本の製品は違った。「繋がらない」なんて、ＩｏＴの本来の価値を見失っています。ＩｏＴ製品を作ること自体が目的になっているからそうなるんだと思います。

それで何が起きるかというと、いろんなメーカーのモノを組み合わせて自分のデータ分析基盤を作ろうとしたときに、海外製品なら選択肢がたくさんある。でも、国内製品で揃えようとすると、要件を満たさず使い物にならない。国内製品を積極的に選ぶ人ほど損をするし、自由度が低くて「ＩｏＴなんてこんなもんか」とがっかりさせてしまうような状況をメーカーが自ら作り出しているんです。

日本のメーカーは、価値を生み出すのはソフトウェアであるという事実に長く目を背けてきました。「ものづくり大国」と言われた頃の成功体験が足かせとなり、ニーズの変化にどう対応していいかわからなかったとも言い換えられる。これが今、作り手と市場との間に大きなギャップを生んでいます。昔のバランス感覚のままでは生き残れない。そこに気づけない会社は淘汰されるということです。

実質重視の人が増えればDXは進むが……

――どうすれば組織の中に実質重視の人が増えるのでしょうか？

鎌田　会社にいることが仕事だと思い込んでいるような人でも、周りが皆そうじゃないと言い始めれば意外と変わっていくものです。「朱に交われば」ってやつですね。集団心理を逆手に取るんです。

実質重視の人がマジョリティな組織になっていけば、企業はDXしやすい方向に傾いていくと思います。いかにそういう人たちを増やしていくか、そして、会社として実質重視の人たちをどう守っていくかを考えなければなりません。

――確かに。そういう人って潰されがちですよね。

鎌田　大企業あるあるですね。以前、ある大企業のセキュリティの検討会に同席し、その場にいた1人だけがまともで、他の10人が古くてまともでない考えを言っているという場面に遭遇しました。当然そんな状況では前者の意見ではなく、人数が多い後者の意見のほうが通るわけです。

――古い意見に賛同した人たちも、本当は間違っているとわかっているのでしょうか？

鎌田　わかっていない。勉強しないので、昔の知識や思い込みで判断してしまうんです。

勤務時間以外は仕事には関わらないと決めて、大企業になればなるほど頭を使わない人の実数も多く、自己研鑽のために自腹を切るという発想も危機感もありません。

「大企業の社員であること」という、いびつな満足感

——大企業の人間ではないですが、私にとっても耳の痛い話です。確固たる理想像があれば勉強するようになるのでしょうか。

鎌田 そうとも限りません。マズローの欲求5段階説でいうと、形式重視で勉強しない人たちは「社会的欲求（所属と愛の欲求）」か、せいぜい「承認欲求」のところにいるんですよ。大企業に属していれば、一応「社会的欲求」は満たされるでしょう。理想像を追い求めるのは、その上の「自己実現の欲求」です。

——「社会的欲求」で止まっているんですね。だから、社名や肩書のほうに興味があると。

「大企業の社員」という型にはまっているほうが楽なのかもしれませんね。

鎌田 「井の中の蛙」の状態ですよね。プライベートのときでさえ、会社の看板を背負って社外の人と接してしまったりする。大企業に入ることが一生安泰に繋がらなくなって久しいけれど、未だにそういう価値観で子育てをしている親はたくさんいる。「いい大学入って有名な大企業に入るのが一番幸せ」って。

一方、私が取り組むサイバー攻撃演習で主体性を発揮する東南アジアの若者たちは、「自己実現の欲求」ステージにいます。現代的な価値観を備えており、向上心があって形式にとらわれない。自律的に学び、「知らない」を「知っている」に変えられて、「できない」を「できる」に変換する能力がある。例えば、「アジャイル」という言葉が出てきたとき、本を読んで理解したつもりになっている人たちには永久に理解できない世界観です。

それこそこの本を読んだだけでわかったつもりにならず、自分の足で歩いて、見聞きして、人と話して、現代の価値観と自分の感覚にどのくらいギャップがあるかを肌で感じてほしい。例えば、50代のおじさんがデジタルネイティブの高校生と本音で話し合う機会を30分でも得られれば、どんな本を読むよりも多くの学びが得られるでしょう。そういった機会を自ら取りに行くというメンタリティがあるかどうか。それこそが、これから必要とされる人材とそうでない人材の境目だと考えています。身近にない、なるべく遠い世界と接することにヒントが隠れているはずです。

第2章　企業編

ここからはDXを実践、推進している民間の組織・企業にフォーカスしていく。小売業、飲食業、メーカー、金融業から芸能マネジメントまで幅広く取材した。彼らが世界をどう捉え、どのような姿勢で仕事に取り組んでいるのかを紹介する。

コープさっぽろ――超アナログ組織の山あり谷ありDX

コロナ禍に活路を見出したシステム

コープさっぽろは、北海道全域でスーパー、宅配、物流、食品製造、電力、葬祭など多角的に事業を展開し、北海道の全世帯の約65％にあたる約186万人の組合員を抱えている。売上規模は約3000億円（2020年度）。北海道を代表する大規模組織だ。

コープ（生活協同組合）は、消費者一人ひとりが出資金を出し合って組合員となり、協同で運営・利用するコミュニティ発想から生まれた組織だ。コープの歴史は19世紀、産業革命時のイギリスに始まる。手工業生産から工場制生産に移行し、生産性が飛躍的に向上する一方で、工場労働者たちは低賃金・長時間労働を強いられ、不衛生な暮らしを余儀なくされていた。そこで、互いの生活を保護し合う目的で始まったのが協同組合運動である。これがやがて世界に広まり、日本に定着し始めたのは大正時代。「コープ」とは、協同組合を表す「Co-operative（コーペラティブ）」の「Co-op」である。一般に歴史と伝統を持つ組織ほど変革を起こすことが難しいように思われるが、コープさっぽろは積極的にDXを行っている。

コロナ禍で食品や日用品の宅配ニーズが高まり、新たにサービスを始めた企業も多い。だが、小売業界各社が横並びで好調というわけではないようだ。順調に伸びているいくつかの企業のうちの1つが、インターネットのない時代から宅配事業を展開してきたコープさっぽろなのだ。

コープさっぽろは、ロボットが収納コンテナを運ぶ自動倉庫型ピッキングシステム「オートストア」をフル稼働させ、激増する需要に応えている。例年5月のゴールデン・ウィークは旅行などで家を空ける人が多く、宅配の需要が落ちていた。しかし2020年は外出自粛の影響で、オートストアの稼働率は147%を超えたという。実店舗から派生した他のネットスーパーも追随を試みるが、コープさっぽろのようにはうまくいかない。なぜ彼らの宅配は強いのか。

コープさっぽろには長い年月をかけて築き上げてきた独自の物流システムがある。さらに、週1回の定期宅配を採用しているが、組合員が予約するのは1週間前である。コープさっぽろはそこから商品を発注するため、廃棄も欠品も起こりにくい。ここだけを見ても、そもそも物流システムを持たないことが多いネットスーパーが太刀打ちできる相手ではない。彼らは店舗の在庫から注文の商品を集めて配送するため、廃棄ロスにある程度目をつぶって在庫を抱えない限り、急激な受注増に応えるのは難しい。

「アマゾンで翌日に届く時代、1週間前に注文するなんて」という見方もできるが、日用品がサブスクリプション感覚で継続的に届くと考えれば、週1回のペースで十分と考える顧客も多いのだろう。今のライフスタイルにちょうどいい、そんなニーズに応えるビジネスモデルがここにはある。

冒頭に紹介した協同組合運動の衛生意識は、現在も食の安全へのこだわりとして脈々と受け継がれている。食品添加物に関しては、厳密に定められたコープの自主基準があり、コープさっぽろでは、さらに内部に設置した「食の安全委員会」でもう一段階厳しい基準を設けている。店舗や宅配で扱う商品は、メーカーからの申告内容を鵜呑みにせず、食品表示検定上級資格者を含む専門家チームが原材料のラベルと突き合わせ、点検する。基準に満たない商品は一切置かない。そのため、他店で人気の商品が、コープさっぽろには置いていなかったりする。

北のサグラダ・ファミリア

組織体制も一般企業とは異なる。一般企業の取締役会にあたる「理事会」のメンバーは、消費者側の組合員から選出される「くらしの視点を持つ理事」が過半数を割ってはいけない。日常的にコープを利用する消費者が経営会議に参加して意見を述べ、事業運営に反映させることができるのだ。

そういう成り立ちの組織だからこそ、コープは、営利企業が参入しにくい事業を率先して手掛け、社会のニーズに応えてきた。

国内最速レベルで高齢化が進む北海道では、広大な土地に対して過疎化が深刻な問題となっている。営利企業の店舗なら過疎地からの撤退もおかしくない。しかし、コープさっぽろは、組合員のニーズがある限り赤字の店舗でも極力閉店せずに営業し続けている。一般的に売上高と呼ばれるものは、「供給高」と呼ばれる。どれくらい売れたかではなく、組合員にどれくらい供給できたかという視点なのだ。また、売り上げが普段より上がることを、「組合員が結集した」と表現することもあるそうだ。

問題は、56年の歴史の中で投資を繰り返し、膨れ上がった大規模かつ重厚なレガシーシステムだ。「牛乳の原価や利益率などは細かく見るのに、システム案件だけは簡単に数千万円の稟議が通っていました。投資対効果を正しく判断することが難しかった、というのが正直なところです」、そう語るのは、コープさっぽろ執行役員で、２０２０年3月にＣＤＯ（最高デジタル責任者）に就任した対馬慶貞だ。

従来のＩＴ投資が経営資産となっていないやり方に危うさを感じていた対馬だが、その懸念が現実のものとなった出来事が二つあった。一つは、老朽化したシステムを新しいものに置き換えるレガシーマイグレーションだ。「6年ほど前、30億の予算をかけてリホストプロジェクトをスタートしました。でも実際には、50億かけてまだ終わっていません。

いつの間にか、サグラダ・ファミリア状態に陥っていたんです」

サグラダ・ファミリアはスペイン・バルセロナを象徴するカトリックの教会で、188
2年の着工以来、現在も未完成ということで有名だ。「奇跡が起きない限り、工事は終わらない」とまで言われている。

「IT業界のサグラダ・ファミリア」と言われた、みずほフィナンシャル・グループの勘定系システム刷新・統合プロジェクトをご存じだろうか。月換算で35万人を費やしたとされる国内史上最大のITプロジェクトは20年近くの歳月を経て2019年7月、ついに終わりを見た。規模や対象システムは違えど、似たような話は至るところに転がっている。コープさっぽろも同様だというのだ。

もう一つは、2019年夏にリリースした組合員向けスマホアプリ「トドックアプリ」のつまずきだ。紙の宅配カタログを見ながらスマホで注文できるというサービスなのだが、「開発会社に支払った額は数千万円、基幹システムとアプリとをつなぐための改修にその4倍のコストをかけたのですが、リリース当初、App Store で5段階中1・7という低評価をいただいてしまいました」

店舗や宅配の現場から見れば、一生懸命に積み上げた利益が、役に立っているのかも疑わしいシステムのために水の泡となるようなものだ。2年前まで店長として現場を率いていた対馬は、「このままでは現場のモチベーションが維持できない」と感じたという。対馬の口癖を借りれば、非常に「やばい」状態であった。

当時のコープさっぽろのIT音痴が「やばい」ことはわかったが、ITインフラはほぼ100%オンプレミス（情報システムを自社内で保有、運用すること）、業務やワークフローは紙が中心で、コミュニケーションはいまだ電話とFAXでとられることも多い。ネットワークは一般家庭で使用するレベルの通信量にもかかわらず何十万円もする専用線が敷いてある。「クラウド」「SaaS」「DX」といった流行りのキーワードを知ってはいる。しかし、これまでベンダーに依存し、内部にエンジニアが1人もいない組織が丸腰で挑むには分が悪すぎる。対馬は、組織内に専門知識と経験を有するエンジニア集団を結成することにした。

この出会い、偶然か必然か

リーダーとして白羽の矢が立ったのは、東急ハンズ、メルカリでCIOを歴任し、実店舗とIT両方の分野で豊富な知見を持つ長谷川秀樹（はせがわひでき）だ。長谷川は、2019年11月に独立し、複数企業でデジタル化を担う「プロフェッショナルCDO」の道を歩み始めたばかりだった。

対馬と長谷川の出会いは、2019年9月、ベンチャー企業の社長やCIO、事業開発責任者が集うカンファレンス後の交流会だった。いつかコープさっぽろでメルカリのようなC to C（消費者間取引）サービスを始めたいと考えていた対馬は、「あ、メルカリのCIOがいる」くらいの軽い気持ちで長谷川に近づいた。

その後、程なくして長谷川は独立。対馬は長谷川にコープさっぽろの課題を相談するうち、「この人とコープさっぽろを変えたい」と決意したという。一体、長谷川の何が対馬の琴線に触れたのか。

「システムのプロなら他にもたくさんいらっしゃいます。でも、業務への理解がない人がシステムを構築し、結局使えないものが出来上がったという例は枚挙にいとまがない。『事業に情熱があって、事業をどうにかしたいからシステムをなんとかする』、この順序が覆ってしまってはダメなんです」

長谷川は、対馬の案内で初めてコープさっぽろの店舗を訪れたとき、バックヤードのシステムではなく、ずっと店内の商品を見ていたという。

「長谷川さんが一番幸せそうな顔をしたのは、北海道産の『養老牛放牧牛乳』を飲んだ瞬間。結局、システムの話は一切しなかった。まずコープさっぽろの業務を深く知ろうとしてくれたことが決め手なんです」

一方の長谷川は、対馬との出会いを偶然ではなく「計画された必然」と振り返る。

「一般的に、サラリーマンのステップアップは社内で昇進すること。これ自体は悪いことではありませんが、問題は、社内だけで人生を過ごしていると、外の世界では何が普通なのかわからなくなること。自分には社内の政治や慣習なんか関係ないと思っていても、実際はそういうものにまみれたキャリアになりがちなんです」

この長谷川の言葉には「外のものさし」が重要だというエッセンスが込められている。

「『何が普通なのか』、これを自分に刷り込ませるために積極的に社外の人と会ってきたんです。『何が重要なのか』ではなく、『何が普通なのか』です。なぜなら人間は、『普通はこうだ』と思っていることを実行に移すものだから」

対馬と出会い、声がかかったのは、偶然ではなく「外のものさし」を求める活動がベースにあったからだと話す。こうした考えは、一昔前なら転職や独立を見据えた人脈づくりなどと揶揄されていたかもしれないし、「社内情報を漏らしているのでは」なんて疑惑の声も上がったかもしれない。しかし昨今では、コミュニティの普及も手伝い、企業の垣根を越えた情報交換によって自社にさまざまなアイデアを取り込むことが求められている。ときに、他社は自社を映す鏡だ。他社の人間と話すことによって、自社の強みと弱み、進むべき方向が見えてくることもあるのだ。

そして、長谷川には隠れた本心があった。「いつか旅をしながら働きたい」、東京と北海道の2拠点生活はそんな人生を始めるのにうってつけだった。

小売業のDXは、トップが腹をくくると速い

2020年2月、コープさっぽろの非常勤CIOに就任した長谷川は、嬉しそうに社内の様子を語った。

「コープさっぽろ、楽しいよ。一般的に、組織は大きくなればなるほど総論・各論が渦巻いてなかなか動かない。新しいことを始めようにも、調整に調整を重ねて慎重に進めていくことになる。その点、コープさっぽろは改革に前向きな人が多い。経営会議にあたる本部長会議もいい感じ。長ったらしい説明や偉い人の自慢話もなく、議論が活発。CDOの対馬さんがイケイケで、みんな文句を言えないのが効いているね」

これに対して対馬は、「トップの大見英明理事長が『全部お前に任せる』と腹をくってくれたのが大きい」と語る。まず、執行役員の対馬がCDOに抜擢されたこと自体、組織を挙げてDXに本腰を入れるというメッセージだ。さらに、対馬がビジネスコミュニケーションツール・Slack（スラック）の導入を提案した際には、トップである大見が自ら率先してSlackを使い始め、役員全員に「私はこれから全てSlackでやりとりする」と宣言したのだ。

「役員会でも、大見さんはデジタル化に関しては何も言いません。言いたいことはたくさんあると思うけど、自由にやらせるって覚悟を決めたんだと思います」

小売業のDXは、トップが腹をくると速い、対馬はそう断言する。小売業はオーナー企業も多く、上下関係やヒエラルキー意識が強い傾向がある。そのカルチャーをうまくエネルギーに転換できれば、組織内の機運は一気に高まるという。

その後、組織内では頻繁にSlackをはじめとしたビジネスツールの勉強会が開かれ、2020年11月の取材では1300人、2021年2月には2700人まで利用者が増えていた。使い方も、業務に直結するコミュニケーションが増えてきたという。

Slackは、コミュニケーションの内容に応じて、部屋（チャンネル）を分けることができる。「#random（仕事に関係ない雑談と給湯室でのおしゃべり）」というチャンネルは、実際の給湯室のように全員が出入り自由、誰でも書き込める部屋だ。当初ここでは、Slackやその他ツールのティップス（使用法のテクニック集）、関連記事などの共有が多かった。だが次第に、「どんな新商品があったらいいと思いますか？」「普段の買い物でつい買ってしまう商品を教えてください。テレビCMで扱う商品の検討材料にしたいです」といった書き込みがされるようになってきた。これまで密室で議論されてきた内容が、Slack文化の醸成によって、広く組織内の意見を吸い上げられるようになったのだ。ある職員はこう証言する。

「コミュニケーションがSlackに変わったことで、ちょっとしたことを書き込みやすくなりました。わざわざ全員を集めてくだらない話はできないけれど、Slackならそれができるし、『それ私も思ってた』くらいのノリで社内のいたるところからリアクションがもらえる。コープ愛が深まるので大好きです」

「DX＝レガシーシステムの刷新」という先入観

「DXというと、巷ではどうも『システムを新しくする』みたいな先入観があるんだよね」。そう言って長谷川は腕組みをした。DXはそういうものじゃないと言いたげだ。「小売の現場もホワイトカラーも、システムに向かっている時間なんて1日8時間のうちのせいぜい1割なわけ。それなのにエンタープライズでは、何千万も費やして、3画面だったシステムを1画面にして生産性を上げる、みたいなことが横行している」

長谷川は、システムそのものではなくて「組織の生産性を大幅に向上させるには、残りの9割、コミュニケーションやデスクワークといった仕事の効率化を図るべきだ」と主張する。例えば、Slackは、「電話やメールでのやりとりを今どきのチャットに替えたんでしょ」と短絡的に捉える人も多い。しかし、その認識は事の本質ではない。メールでのコミュニケーションとチャットでのコミュニケーションでは、後者のほうが圧倒的に速い。さらにコープさっぽろでは、組織の風通しまでよくなっている。

オンライン空間に寄り添って働くのが「普通」

長谷川がSlackにこだわる理由は他にもある。「LINEにサクッと返信するように、ビジネスにもコンシューマーのスピードが求められるようになってきています。オンライン空間の向こう側にいる相手と常に繋がっている、これが普通の働き方になっていくんです。今どきＦＡＸじゃなくてチャットだよねといった単純なことではなくて、オンライン空間に寄り添って働くのが『普通』だよね、という認識を浸透させたい」

別の見方をすれば、組合員の多くも日常的にスマホでチャットをしたり、買い物をしたりする人たちだ。組合員が当たり前に享受しているデジタルツールの便利さを率先して体感していかなければ、新しく作ろうとしているサービスも酷評された「トドックアプリ」の二の舞だ。

さらに長谷川は、Slackを人と人とのコミュニケーションツールから発展させ、ルーチンワークの効率化に昇華させることを目指している。

現状、コープさっぽろでは１８０を超えるシステムが稼働し、それぞれ別のログインが必要だ。まずはそれらを集約する必要があるが、その先に思い描く理想は、Slackという一つのインターフェースを相手にしていれば、いつの間にか全ての業務が終わっていくというワークスタイルだ。「SlackがＡＩアシスタントのように、『在庫なくなったよ』『売り上げ少ないけどどうしたん？』『今月ちょっと働きすぎだけど大丈夫？』などと問いかけてくれて、相手をしているといつの間にかその業務が終わっていくみたいな感じにしていきたいんだよね」

この例は、Slackと在庫管理システム、営業支援システム、勤怠管理システムの連携によって実現できる。長谷川は、システムごとに人が合わせるのではなく、各システムが人に寄り添い、気まで遣ってくれるような協働関係を実現したいと考えているようだ。

長谷川は、「コープさっぽろが取り組んでいるのは、より本質的なDXインフラの整備だ」と言う。長谷川の言うDXインフラとは、デジタル化を急進するにあたって揺るがない土台作りだ。システムは建物と同じで土台であるインフラがしっかりしていることが大前提。ここを怠れば、後からボディーブローのようにダメージが効いてくる。「例えば、これから店長とスーパーバイザーでテレビ会議をしましょうとなったとき、『PCが古すぎて動きません』とかね。だから、PCは総入れ替え、ネットワークも全とっかえ、セキュリティも刷新する。100%オンプレミスから100%クラウドへ移行を進めています。インターネットテクノロジーを中心とした技術で業務改善しまくろうと思ってる」

2人のサムライ、内製エンジニア組織を作る

土台作りでもう一つ重要なのは、ベンダーやシステムインテグレーターへの丸投げ体質を改善し、主導権を発揮することだ。コープさっぽろに限らず、多くの日本企業がシステ

ム開発・運用を外部に委託している。日本企業が世界的に見ても好調だった平成の初め頃まで、ITは事業運営のコアになく、自分たちで専門性を持つ必要はないと考えていたのだろう。その結果、組織内にノウハウが蓄積されず、ITが事業戦略を左右する今となっても外部パートナーに泣きつくしかない。そこから脱却し、自ら手綱を握らなければ、DXなんて夢のまた夢だ。

手綱を握る手段の一つが内製化だ。内製化とは、ITの企画、開発、運用に至るまでを自社が主導権を持って遂行することを指す。2020年3月、コープさっぽろは内製化に舵を切るため、新たに30人のエンジニアを採用すると発表した。この時点で、組織内にエンジニアは1人もいなかった。

まずは、長谷川がコミュニティ活動で培った人脈を駆使して適任者を探した。すぐに数名から、「初代 AWS Samurai（AWSユーザーコミュニティの成長やAWSクラウドの普及に多大な貢献をした人物に与えられる称号）の田名辺さんに会ってみては」と勧められた。対馬と長谷川は、すぐさま田名辺のオフィスに向かった。

エンジニアの田名辺健人（たなべたけひと）は「半農半IT」を掲げ、農業を営みながら、主にクラウド、アグリテックの領域で活躍している。田名辺のオフィスは、札幌から車で40分の自然豊かなゴルフ練習場の一角にあった。モニターにはブラジルのアグリテックの様子が投影されていた。対馬の目には、田名辺こそ時間や場所にとらわれずに働く根っからのエンジニアに映った。

かくして初顔合わせはスタートしたが、対馬はコープさっぽろの未来を熱く語り、田名辺は新緑を愛でながら最近植えた農作物の話をしている。長谷川いわく、全く噛み合っていなかった。しかし、対馬の心はもう田名辺に決まっていた。北海道の根幹を担う農業について熱く語る姿を見て、「事業に情熱があって、事業をどうにかしたいからシステムをなんとかする」、この順序が揺るがない人だと確信したからだ。田名辺は、コープさっぽろの申し出をどう受け取ったのだろうか。

「第一印象は、『これは地雷案件に違いない』でしたね（笑）。ちょうど、『みずほ銀行システム統合、苦闘の19年史 史上最大のITプロジェクト「3度目の正直」』（日経BP）を読んでいたところだったので。そして、『なぜ僕なのかな』と。僕は長年スタートアップでやってきた人間で、コープさっぽろのようなエンタープライズとは正反対の環境で働いてきましたから」

しかし、2人がオフィスを後にしてからも、コープさっぽろの未来を語る対馬の真剣さと瞳の輝きがしばらく忘れられなかった。

「そこで発想を変えて、『僕に何ができるだろう』と。僕がこれまでさんざん苦労してきたヒト・モノ・カネが潤沢にあるコープさっぽろに、スタートアップのアジャイル開発を浸透させたらどうなるんだろう、と」

スタートアップは命がけだ。キャッシュが尽きれば全てが尽きる。コープさっぽろで飛び交う金額は、田名辺のこれまでの環境とは一桁も二桁も違った。だが、潤沢がゆえにハングリーさがない。そこをどうハングリーにできるかに興味が湧いた。気がつくと田名辺は、内製化に向けたエンジニア組織づくりのキーマンとしてコープさっぽろに参画していた。

確かに大企業では、「1システム1年半で1億」なんて提案は珍しくない。田名辺に期待されているのは、「それ、クラウドなら1人でもできちゃうけど」みたいな発想だ。「お金を掛ければ掛けた分だけよいシステムができるなんて幻想だ」、そう言い切れる実績が田名辺にはある。

それから程なく、長谷川がぼんやりフェイスブックを眺めていると、ダイソーを6年かけて内製化に導いた丸本健二郎（まるもとけんじろう）が独立したという投稿が目に飛び込んできた。小売業出身でクラウドの知見が豊富、さらに田名辺と同じく、AWS Samurai に選ばれた経験もある。

長谷川はすぐにメッセージを送った。丸本は、長谷川からの突然の打診をこう振り返る。

「あの変態から声がかかった、と（笑）。時間軸がおかしいというか、未来を生きているというか、そういう人と仕事ができたら絶対に面白いだろうなと、二つ返事でＯＫしました。長谷川さんからは、『実際に現場を見てからでも返事は遅くない』と逆に心配されたくらい。でも、独立するときに決めたんです。これからは、やりたい仕事を、やりたい人とやるって。だから、長谷川さんとやりたい」

丸本はこうして北の大地に立った。

順調にエンジニアを採用できる理由

ここまでの話、人材獲得がうまくいきすぎて現実的ではないと感じただろうか。今や優秀なエンジニアは引く手あまただ。都内の有名企業でも意中のエンジニア採用には苦労する。ましてや、これはＤＸを始めたばかりの北海道のアナログ組織の話。30人ものエンジニアを採用するのは困難に思われた。しかし、蓋を開けてみれば、都内からの移住も含め、1年足らずで17人のエンジニアが仲間入りしている。コープさっぽろの何がエンジニアを惹きつけているのだろうか。

対馬は、「暮らしに直結する事業を営んでいることがポイントではないか」と分析する。

「一般的にIT業界は、クライアントがいて、大手ベンダーが受注し、その子会社、孫会社、地場のベンダーへと案件が引き継がれる多重下請け構造になっています。そのため、実際にコーディングするエンジニアは、『私は一体何を作っているんだ』という状態に陥りやすい。ユーザーの顔が見えないものを一生懸命作るって必ずどこかで迷いが生じると思うんです。面接では必ず、『ここでは、自分や家族の暮らしをよりよくするための仕事ができる』と伝えています」

確かに田名辺も、「コープさっぽろの商品やサービスは開発スタッフがみずから利用することが基本で、エンジニア自身が改善点を見つけられるから面白い」と話していた。その上で、田名辺を中心にスタートアップ企業のハングリー精神や開発スタイルを浸透させることができれば、大企業の資金力を持ちつつスタートアップのスピード感を発揮できる。

「実際、デジタル関連において私たちはゼロイチのスタートアップです。経営陣も失敗を認めてくれます。ガンガン失敗してやろうぜと。面接では、『創業メンバーになりませんか』と伝えています。最初のほうが苦労するから絶対に面白いですよ」

現場を知ろうとしないエンジニアは採用しない

対馬がエンジニア採用で重視しているポイントは何か。それは、「現場を知ろうとしないエンジニアは採用しない」ということだ。

「誰かの役に立ちたいとか、地域に貢献したいと考えているエンジニアは、自然と現場に足を運び、自分の目や耳で現実を知ろうとします。現場に行かず、コーディングさえできればいいなんて冗談じゃありません」

「事業に情熱があって、事業をどうにかしたいからシステムをなんとかする」、対馬は一貫してこの順序にこだわる。その真意は、事業部門とシステム部門の間にあった受発注の関係を崩し、システム部門が現場で使えるかをシビアに判断できるよう、部門間のヒエラルキーを変化させることにある。事業側が欲しいと言えば何でもかんでも受け付けてベンダーに丸投げしていた過去を自省し、是正しようとしているのだ。だから、いくらスキルがあっても事業を理解しようとしない人がシステム側にいては本末転倒。誰も得をしないのだ。

現在、コープさっぽろのエンジニアたちが取り組んでいるプロジェクトの一つが、組合員向けサービスのデジタル化だ。具体的には、「店舗と宅配の融合」、「C to C サービスの提供」、そして「ドライブスルー化」の三つだ。

「店舗と宅配の融合」は、店舗だけでなく物流システムを有する生協だからこそスムーズに実現が見込める施策だ。日常的に店舗で買物をする人たちは、米や箱入りのビールなど重い荷物を持ち帰るのにうんざりしているだろう。店舗にとっても、それらの大型商品は限られたスペースを圧迫する一因となっている。両者の課題を解消するために、生鮮食品は持ち帰り、重い物はスマホでスキャンして宅配で届く、そんなスタイルを提供していきたいという。

「C to Cサービス」は、対馬がかねてから思い描いていたもので、コープさっぽろの店舗と物流プラットフォーム上で186万人の組合員が直接取引し合うという構想だ。すでにいくつかのアイデアが実現されている。コープさっぽろ店内にある「ご近所やさい」のコーナーは、出品する農家が自ら商品の価格を決めて、売り上げの8割が農家の収入になり、彼らは高い利益率を確保できるのだ。

「そうなると農家の方も、有機野菜など単価が高いものを作って売ってみたいとなりますよね。農家の方々が主導権を持ち、利益率の高い商売ができれば、北海道はおのずとベースアップして豊かになっていくと考えています」

このやり方は、コープさっぽろにもメリットがある。直接取引となれば、在庫情報を管理する必要がない。野菜を売るスペースと物流プラットフォームを提供し、いつもの宅配に合わせて農家から回収、運搬すれば追加コストもかからない。

「ドライブスルー化」は、北海道ならではの課題に即したものだ。冬場は駐車場や店舗の入り口が凍結し、数メートル歩くのも危険がともなう。車から降りず、スムーズに商品を受け取れる仕組みを整備していきたいという。

どの施策も、一から新たに構築したり、全てデジタルに置き換えようというものではない。これまで培ってきたビジネス資産にデジタルを掛け合わせることで、より使いやすく進化させると言ったほうが正しい。だからエンジニアにも、現場の理解が強く求められるのだ。

タブーなし、DXの過程を赤裸々に公開

2020年6月、DXの過程を赤裸々に綴っていくブログサイト「コープさっぽろDX」がスタートした。レガシーシステムにとらわれ、アナログなコープさっぽろが山あり谷ありを経て変わっていく様子を包み隠さず公開することで、他社のDXにも生かせる

教科書を目指したいという。主な書き手はコープさっぽろの職員だ。特徴的なのは、コールセンター職員や店舗のシステム担当者、広報、新入職員なども記事を寄せていること。DXへの期待と課題、実際の変化が多様な視点から記録されていく。

一般的に、進行中の取り組みを外部に公開することは、メリットがない。たとえ一つのことがうまくいっても未解決の課題は山積みだ。現場の職員たちはどこまで書いていいのか判断に困るだろうし、まず書いている時間がない。しかし、コープさっぽろは、自己反省から始まるダサくて格好悪いプロセスを、それぞれの場所でDXに挑む同志たちに見せていくことを選んだ。さらに対馬はこう語る。

「何をやっているか説明するのも大事ですが、それより、チームで達成したことや誰かの役に立ったことなど、ポジティブな話をしてほしい」と言う。「システム部は、うまくいってても褒められないし、トラブルが起きればお叱りを受けたりと損な役回りになりがちです。まずは、胸を張ってPRする練習をしようと」

筆者も会社員時代はシステム部門に在籍していたが、確かに褒められることが少なかった。もちろん協働した部門からお礼を言ってもらえることもたくさんあった。しかし、業績に貢献したとして華々しく社内表彰を受けるのは、いつも営業部門だった。同時に、私たちは縁の下の力持ちだと決め込んで、自らをアピールしようともしていなかったな、と当時を思い出した。

現場にはびこる Excel 依存

ここからは、コープさっぽろが行った実際の改革を見ていこう。対馬は、DXの前に、目の前の業務改革に着手した。旧態依然としたやり方をそのままデジタルに置き換えても意味がない。無駄が多いと思うものから業務を整理し、その上でデジタル化を進めていったという。

例えば、店舗での成功事例集。コープさっぽろでは、各店舗が実施した効果的な施策を集約し、冊子にして現場に配布している。よい事例をシェアすることは素晴らしいが、そのやり方が問題だったという。

「例えば、5月のこどもの日なら、売り場の写真を数枚 Excel に貼って工夫したポイントを書き、写真が重かったら圧縮したりして、レイアウトを整えて本部に送付するんです。すると本部の人たちがそれを集約し、白黒印刷の冊子にする。それが各店舗に届くのは6月。タイムリーじゃないし、そもそも Excel の使いどころを間違っている。さらに白黒だから、写真を見返しても何がよかったのかよくわからない。これ、スマホで写真を撮って、Slackにコメント付きでシェアすれば、タイムリーに目的達成できるじゃないですか」

対馬はこれが、「小売のヒエラルキーが悪く働いた場合の弊害だ」と言う。現場は、なぜExcelなのか、なぜ1カ月後に白黒冊子で共有されるのか疑問を持つこともなく、「きちんと共有するように」という上からのお達しにただ従っているだけに過ぎない。無自覚に組織に染み込んだ当たり前を否定することも、デジタル化の第一歩だ。

片道2時間かけて店舗をめぐるスーパーバイザー

コープさっぽろの場合、1人のスーパーバイザーが15店舗ほどを担当する。広大な北海道ならではだが、札幌とニセコの店舗を担当するスーパーバイザーは、片道2時間かけて移動する。店舗到着はスタートラインでしかない。わずかな時間で売り場を回って改善点などを指摘し、次の店舗へと移動する。移動時間が9割。これではまるでスタンプラリーだ。

これをすべてデジタルに置き換えるというのではない。例えば、月4回のうち3回はオンライン会議にしたり、Googleスプレッドシートを使って今週売りたい商品を共有してもよいだろう。

「僕らには、時間をかけて愚直にやることを是とするカルチャーが染み付いているなと。この時間は無駄なんだと根気強く伝え、デジタルの力で時間の使い方を変えていきたい」

スーパーバイザーの働き方に関連して、対馬は次なる施策を考えている。

「店舗は、お客さまの仕事帰りにあたる夕方から夜の時間帯がよく売れる傾向にありますが、この時間帯は店員が手薄になり、欠品を起こしがちです。ならば、欠品状況をＡＩカメラで撮影してデータ化し、欠品を検知できるようにすれば、スーパーバイザーはより本質的な改善に時間を割けるようになりますよね」

辛口のファーストシステムレビュー

２０２０年７月、大改革を前に、長谷川、田名辺、丸本による初のシステムレビューが行われた。コープさっぽろを支えてきたレガシーシステム群は、ダイソーのシステムを６年掛けて内製化に導いた丸本の目にどう映ったのか。丸本のメモを覗いてみた。（以下、引用部の括弧内は筆者注となる）

［個別最適から全体最適へ――コープさっぽろが抱える技術課題］

店舗の裏側では複数の発注システム、帳票システムが存在し、全体最適化がなされていない。原因は、個々のプロジェクトが部分最適で進められ、全体設計がなされていないことにあると推測される。

ハードウェアに関しても、用途に応じた最適な機器、配備数を再考し、利用するスタッフが混乱しないようシンプルな構成にすべきだろう。ハード、ソフト、そしてデータの繋がりを俯瞰し、全体最適へと向かう必要がある。

○店舗システムの課題

新システム構築の際には、ホストを切り崩していくという裏タスク（並行して行う作業）も存在するはずだが、ホストを消し去る将来視点がないまま進んでいる。原因は、短期的なプロジェクトスコープ（作業範囲）が中長期の方針とうまく重ねられていないからだと推測。

店舗と宅配が縦割りになっているように見える。お互いが「自分たちは頑張っている」という言い訳の上で成り立っているように見えてしまった。

オープンシステムになってわかりにくくなったという現場の声。属人化するスクラッチ（0から自分たちで開発するシステム）、と汎用的なパッケージの使い分けへの理解が必要。

○発注システムの課題

発注システムは4つ存在し、それぞれ異なる端末で操作している。理由は、特定のシステムがOSのバージョンアップに対応できないため。

システムごとに端末の使い分けを要求するというのは、利便性としてどうなのか。機器代やそれをコントロールする運用費も安くないはず。ここでも、それぞれのハードウェア資源を共通で考える全体視点が薄いように見える。発注用のタブレット端末は8台。かなり減らせそう。

また、自動発注では解決できない別システムの問題が、その別システムに伝わっていない。各システムだけでは解決できない悩みを全体として拾う仕組みが必要。

○宅配システムの課題

二つの異なる端末が存在する。タブレットは新人しか触らないとのこと。少しもったいない。

宅配ルートは手動で作成。負担になっていないなら良いけど、ドライバーの増減や急な休みなど、調整が大変なのではと想像。自動割り振りができたら便利かな？
○帳票システムの課題
帳票システムも複数存在し、それぞれで見えること、できることがバラバラ。要求されることを定義し、必要な仕組みを洗い出す必要がある。
○物流センター
（中略）物流システムは本格検討したことがないので、もっと現場の方の思想を聞いてみたいが、忙しそうだったのでちょっと遠慮。
○宅配サービス
物流を使った圧倒的なビジネスモデルはマジでやばい、尊敬する。高齢化社会に向けて、宅配サービスはますます需要がありそう。Uber Eats のようなサービスとの連携もあり得るかも。何でもできちゃいそうなのがやばい。
○エコセンター
エコセンターでは、コープさっぽろの店舗や宅配で発生する資源と、組合員さんに出していただく資源を回収し、再利用している。ゴミとして捨てられてしまうはずのダンボールや古着、紙パックなどを資源として回収し、利益3億とかやばい。会社も

Ｗｉｎ、組合員は廃棄物を無料で回収されてＷｉｎ。
○スーパー
子供が生まれたらプレゼントがもらえるというのは、若い世代にもありがたい活動。コープさっぽろの事業全般に言えることだが、ビジネスを通じた社会貢献が素晴らしい。

飲むヨーグルトなんて今まで特段美味しいと思ったことがなかったのに、コープさっぽろのＰＢ（プライベートブランド）はやばかった。健康的で値段も手頃。あれなら毎日飲みたい。

（中略）高価な高級食パンの横で、サンドイッチ系はすごく安い。値段設定の感覚にオヨヨ？　販売データを見てみたい。

「ご近所やさい」のコーナーは、出品する農家の方が自分で価格を決めて、売り上げの８割が農家の方の収入に。これも差別化戦略に繋がり、利益も高そう。聞けてないけど、仕入れ原価０が成り立ちそうで、すげーやばい。
○ドキドキ感がやばい
小売や宅配だけではなく、旅行、保険、葬儀など多角展開している。複数の事業の掛け合わせで新結合が起こせそうなドキドキ感。ここは、CDO対馬さんの創造力がやばい。いろいろ聞いてみたいな。

顧客（組合員）のデータが集まりまくってる。さらに顧客との距離が非常に近い。One to One マーケティングは、データを集めるところから難しくてうまくいかないものだと思っていたけど、ここなら実現できるんじゃないか。

丸本のメモから、「コープさっぽろがなぜエンジニアを惹きつけるのか」の答えも見えてくる。アイデアと技術力さえあれば「何でもできてしまいそうなのがやばい」のだ。このメモはブログサイト「コープさっぽろDX」にも掲載され、SNSを中心にさまざまな反響が寄せられた。

「発注システム4つは地獄」

「『将来視点がないまま進んでいて、短期的なプロジェクトスコープが中長期の方針とうまく重ねられていない』の一文は真理をついてる」

「生の課題は技術的に面白いし、視点も普段見られないので面白い。辛口と言いつつ、ただのダメ出しでもない」

「構築に資金と時間がかかる物流や実店舗など、ベンチャーでは簡単に手を出せない分野もある。踏み込んで更新できれば、次の成長を見込める会社も多いのでは」

「全部経験ベースで日記的に書かれてるのがめちゃくちゃリアルでドキュメンタリー番組見てるみたい」

中でも多かったのは、「内部のことをここまでオープンにできる文化に憧れる」といった声だ。コープさっぽろにも、つい数カ月前までこんな文化はなかった。会社は変われる。いつでも、すぐにでも。

選ばれない理由を考える

2020年12月、内製エンジニアたちの取り組みが一つ、形になった。組合員向け宅配注文サイト「トドック」のリリースだ。宅配の注文は、古くからの組合員を中心に今も紙カタログが主流だが、2009年からは並行してPCからも注文できるサイトを運営している。今回、これをスマホでも利用できるよう、ユーザーインターフェースからシステムまでガラリと変えた。開発にあたったのは、7人の内製エンジニアを含む11人。プロジェクトマネージャーの高田純子(たかだじゅんこ)、エンジニアの北村大助(きたむらだいすけ)に話を聞いた。

目下、コープさっぽろの最大の課題は若年層の取り込みだ。「今までの宅配注文サイトは、テキスト主体で写真も小さく、デザインも正直ダサい。『映(ば)え』に敏感な若年層に『あれも欲しい、これも欲しい』と思ってもらえるようなサイトではなかった」と、高田は振り返る。

高田は、2年前に10年勤めた東京のウェブサービス会社を辞め、持ち家も引き払って北海道に移住した。東京の生活には何の不満もなかったが、仕事と育児に追われる毎日にふと変化が欲しくなったのだと言う。一般の組合員として初めてコープさっぽろを利用したときは、「北海道って家でこんなご馳走が食べられるんだね」と、家族で感動を分かち合ったことを覚えていると話す。

入協（コープは協同組合なので入社の代わりに入協と言う）のきっかけは対馬との出会いだ。かつて酷評されたトドックアプリを利用するうち、サービス開発の血が騒ぎ、次々と改善案が浮かんだ。周囲の組合員にもヒアリングし、勝手にモックまで作って対馬に見せた。ユーザーの生の声を聞き、何にストレスを感じているのか炙り出し、サービスに落とし込む、前職で培ったこのスキルをコープさっぽろで生かしたいと思った。

今回リニューアルした宅配注文サイトは多くの組合員に長く愛用されているが、もちろん使うのを止めた人も存在する。何が不便で、どう改善すれば使い続けてくれたのか、深くは検証してこなかった。「大勢のうちのたった1人だと軽視してはいけない。コープさっぽろには商品力がある。手元に届くまでの不便さが解消できれば確実にファンは増える」、高田はそう自分に言い聞かせ、組合員へのヒアリングに奔走した。

エンジニアに降りかかる宅配の洗礼

宅配注文サイトの開発が難しいのは、ウェブで完結しないサービスだからだ。サイトの使いやすさに加え、商品手配から自宅に届けるまでのプロセスを考える必要もある。ソフトウェア開発を生業としてきた北村にとって、このようなプロジェクトは初めてだった。「サイトだけなら『ちょっとこのパターンを試してみよう』でいけますが、宅配が加わるとそうはいかない。リアルの運用がともなう開発の難しさは想像を超えていました」

北村は、その理由を「宅配サービスの効率化が極限まで進んでいるからだ」と分析する。宅配を効率化するには、週1回、決まった曜日、決まった住所に届けるという制約に従い、最短の配送ルートを導き出せばいい。だが、こうしてガチガチに効率化すると、仮にトラックが柔軟に経路を変えるような新サービスを思いついても、既存の枠組みには適用しにくくなってしまう。移り変わりの激しいニーズを捉え、タイムリーに価値を提供していくには、「柔軟性も効率化と同じくらい大事だ」と北村は言う。

実は北村は、2020年7月に入協したばかりだ。初めはコープさっぽろがシステムを内製化するというニュースに、何だか面白そうだなと思った。そのうち以前から尊敬する田名辺が参加したと知り、俄然興味が湧いた。「コープさっぽろのすごいところは、外から見ていた印象と実際の取り組みが一致していること。外向けには都合のよいメッセージを発信し、実際は違うという組織もたくさんあると思いますが、コープさっぽろはそうじゃない。Slackなどコミュニケーションツールの勉強会なんてCDOの対馬さんが自ら講師になって何度も何度も開催しています。僕らに本気が伝わらないわけないですよ」

北村は、「今回のプロジェクトで、宅配チームの皆さんともようやく信頼関係ができてきました。今後はもっと侃々諤々とやっていきたい」と目を輝かせる。「物事って、二つの意見が合わさったところでだいたい落ち着くんですよね。効率化して極力コストを抑えたい宅配チームと、将来を見据えてもう少し遊びを残してほしいエンジニアチームとの間でどんな落としどころを見つけられるか、結構楽しみなんです」

内製化のビフォア・アフター

エンジニアが1人もいなかった頃を知る高田は、17人のエンジニアがいる今の状況をどう感じているのか。「北村さんたちが入る前は、アプリのここをちょこっと変えたいというだけで、見積もりとって、承認とって、スケジュール引いてと、開発を始める前からかなりの時間がかかっていました。サクッと試したくてもそれができず、ウワーッて感じだったんですよね」

トドックアプリのログイン画面を新しくした際には、外注先に要件がうまく伝わらず、4度も作り直した。「そうなるからまずは作り込まなくていいと伝えても、受発注の関係だときちんと作らなきゃと思ってしまうんでしょうね。とにかく時間がかかっていました」

すぐ隣りにエンジニアがいる今は、開発スピードがどんどん上がっている。組合員からの改善要望にもすぐ応えられるようになった。「エンジニアが企画段階から一緒に考えてくれるって本当に心強いですよ。私のような非エンジニアでは思いつかない実現方法をいくつも提案してくれて、その中で一番いいやり方を探っていける。魔法使いのように見えることもあります」

だが、高田が思う最も大きな違いは、「17人のエンジニアが常に組合員を第一に考えていること」だ。そこがブレないからどんな施策もやりやすい。北村らは、宅配注文サイトの完成直後、コールセンターにも足を運んだ。組合員との橋渡し役を担うコールセンターとの連携を密にすることで、トラブルにもすぐさま対応できると考えたからだ。
「頼られると嬉しいです。緊急度や重要度の高い依頼に応えるのは、エンジニアにとって最高の楽しみですから」、そう言って北村は笑った。

長く愛されるサービスの要件

北海道の日常を支えるコープさっぽろの宅配サービスを、長く愛されるサービスにするために必要なことは何だろうか。高田は、「1人を幸せにしたい」と言う。「私がいつも意識してるのは傲慢にならないということ。ウェブサービスにありがちなのが、たくさん機能を追加して、『ほら便利になったでしょ』と自己満足してしまうこと。組合員一人ひとりが感じる不便さを解消できるよう、生の声に耳を傾け続けたい」

北村が重視するのは、組合員との信頼関係だ。サービスの進化にはどうしたって変更がともなう。使い慣れたサービスに変更が生じれば、ユーザーはしばらくの間、戸惑いながら使うことになる。新しい宅配注文サイトも、組合員からさまざまな意見が寄せられている。リリース直後、歓迎する声はまだ少ない。使い慣れた見た目が大きく変わったことへの違和感が今は勝っているようだ。

「コープさっぽろのサービスは、これからも時代に合わせて進化させていきます。初めは使いにくいと感じたとしても、『コープさっぽろがやっていることなら間違いないだろう』『しばらく使ったら慣れるだろう』、そう思っていただけるような信頼関係を構築していきたい」

2人とも、サービスだけではなく、その先にいる組合員を見ていた。

信頼関係がなければ、崩壊するだけ

コープさっぽろを追って10カ月。最後に、対馬がDXを進めていく上で最も大切にしていることを尋ねた。

「コープさっぽろの最大の強みは、組合員との信頼関係です。もともとは地域の班で食品や日用品を共同購入するという仕組みだったため、配達する人と受け取る人の間に信頼関係が出来上がっていきました。だから、アマゾンよりずっと前から置き配という文化があるんです」

受け手の不在や感染予防などの課題ではなく、信頼関係があったから「置き配」が生まれた。アマゾンとは入り口が全く違うのだ。

「それから、非常事態にこそコープは強いんです。2018年の北海道胆振東部地震のときは、他の運送会社が配送を見合わせる中、コープさっぽろは安全が確保できた段階で、その日の朝から配送しました。高齢の組合員が多いので『こんなときこそ会いに行かねば』と」

そのとき、対馬は店長だった。通常は朝9時に開店のところ、居ても立ってもいられず、7時には店を開けた。地域の学生たちが率先して誘導係を買って出てくれた。

「感動しました。店舗の運営ってどうしても数字ばかり追ってしまうのですが、非常時に日常を提供するコミュニティとしての役割の重要性を実感しました。それまで、僕はどこか損益で物事を考えていた節もあったのですが、コープさっぽろはそれだけじゃダメなんだって。デジタルを駆使して利便性や新たな価値を追求するのは大事です。でも、スーパーや宅配、あらゆる事業で組合員とのリアルな接点が多い僕らだからこそ、最も大事なのは信頼関係。信頼関係なしに突然デジタル化しても、それは崩壊に繋がるだけなんです」

この取材中、DXが進まないことに対する言い訳じみた発言は、コープさっぽろの人からは一切聞かなかった。コープさっぽろのこれからを作るのは、夏の北海道のような爽快さと、冬の厳寒を物ともせず走り回る子供のような無邪気さが同居する人たちだった。彼らは何も最先端の技術を駆使したいわけではない。コープさっぽろがもともと得意とする「助け合い」をデジタルの力で進化させたい。北海道でともに暮らす仲間たちのために。

彼らの目の前には、56年の歴史で無自覚に膨れ上がった重厚なレガシーシステムがある。その牙城をどう切り崩すのか、切り崩した先にどんな未来が待っているのか。コープさっぽろの戦いは、まだ始まったばかりだ。

トライアル――スマートストアがコロナ禍で可視化したもの

次に取り上げるのは、福岡に本社を置く「トライアル」だ。早い段階からＡＩ、ビッグデータを駆使して店舗運営の省力化、効率化を図るスマートストアのリーディングカンパニーとして名を馳せている。システム開発を内製化し、そのノウハウをスーパーマーケットの運営に応用しているのだ。

そのトライアルグループで技術革新の中核を担う会社が「Retail AI」である。同社は国内に約１００名、中国に約４５０名のエンジニアを擁し、売り場の欠品や顧客行動を可視化するＡＩカメラや、セルフレジ機能付きスマートショッピングカートを開発。他社への販売も積極的に行っている。新時代への切込み隊長として邁進する企業が実現してきたこと、そして今後のねらいについて代表取締役社長の永田洋幸（ながたひろゆき）に話を聞いた。

「昨対比」の消えた世界で

自炊中心の生活を送っている人の中には、毎日のように近所のスーパーに足を運ぶ方も多いのではないだろうか。

取材などの用事がなければ家にこもりっきりになる筆者にとっては、スーパーに足を運ぶことは面倒なことではない。それどころか気分転換としてなくてはならない習慣となっている。

新型コロナウイルスの流行で、人々の日常的な購買行動は著しく変化した。2020年4月、東京都の小池百合子知事は、スーパーの混雑を緩和するため、買い物は3日に1回程度に控えるよう呼びかけた。さらに政府の専門家会議は、人と人との接触を8割減らす施策として、EC（電子商取引）・通販、キャッシュレス決済の利用を推奨した。

購買行動の変化はデータにも表れている。MMD研究所が2020年10～11月に実施した「コロナ禍での総合ECサイトに関する調査」では、ECサイト利用者のうち、コロナ禍で利用を開始したのは4・8%、利用頻度が増加した利用者は21・3%となった。三井住友カードの調査では、特に重症リスクが高いと報道された高齢者層（60代、70代）のECサイト利用が増加している。キャッシュレス決済サービスPayPayは、2020年7月から9月の決済回数が前年比の5倍以上になったと発表した。

これらの数字に比べて、キャッシュレス決済高はそこまで増えていない。理由は、単価の高い嗜好品の購入や旅行、外食の機会が減っていることにあるという。一方で、スーパーやコンビニといった日常的な少額キャッシュレス決済の頻度は大幅に増え、「新しい生活様式」の定着が加速していると言える。２０００年代には「数百円の買い物にクレジットカードを使うなんて」という感覚の人もまだ多かったように思う。都市部では今や「レジで後ろに並ぶ人を待たせてはいけない」と、キャッシュレス決済を利用する人が増え続けているのだから、たしかにこの世界は変化している。

「昨対比」はもはや通用しない

ほかにも、消費者の行動パターンは新たな動きを見せている。「スーパーでの滞在時間を短くするため、何を買うか事前に決めて行こう」「外出自粛で運動不足だから高カロリーの食品は減らそう」「オンライン飲み会は安心して飲みすぎてしまうから、健康系ビールにしておくか」――２０２０年は、消費者一人ひとりのニューノーマルが大きなうねりとなってリテール（小売）業界全体に影響を及ぼした年だった。

「昨対比という概念は通用しない世界になりました」

永田はそう語る。さまざまな技術革新を駆使してめざましい進歩をとげているトライアルグループだが、永田もまた、コロナ禍に翻弄されているという。

「コロナ禍の前後で購買データは劇的に変化しました。外食が減った分、スーパーでの消費が増えているという動きは数字を見ても明らかです。売れ筋も大きく変わりました。この状況に対してどんな施策を打てばいいのか、見えないところが山のようにある。今(取材は2020年12月)、アパレルチームは夏物の話をしているのですが、今後も政府から発表されるであろう経済対策や感染予防対策など、あまりに不確定な要素が多い。僕らのように比較的早くからビッグデータを蓄積してきた企業でも、来年の夏がどうなるかはまったくわかりません」

これまで経験則で需要予測を立ててきたスーパーは、永田が言う以上に雲をつかむような思いで、次の一手を考えざるを得ないということだ。

スーパーにとってまず重要なのは、来店してもらうことだ。しかし、これまでのようにチラシをまいて特売をすれば、「密」を引き起こしてしまう。そして永田によれば、コロナ禍で平均滞在時間が短くなっている。この状況でいかに買ってもらうか、売り場づくりや販促・マーケティングのあり方を一から考え直さなければならない。

「以前のリテール業界は、『データがあるなら活用したほうがいいよね』『DXは、できればしたほうがいいよね』という雰囲気でした。それが今や、『データ活用やDXなしでは、この危機を乗り越えられない』という切迫感に変わっていきます」

一般的に、実店舗におけるデータの活用はいまだに発展途上で、直感や経験則に頼った売り場づくり、効果測定のできない販促やマーケティングが数多く存在している。言い換えれば、ECサイトが当然のように顧客の行動や属性を分析し、カスタマーファーストの改善を繰り返していく一方で、顧客の気持ちを想像しながら施策を打つことしかできない店が多いということだ。

だが、実店舗も一方的に分が悪いというわけではない。アマゾン、アリババといった巨大ECサイトが多額の資金を投じ、ネットとリアルを融合させたサービスやUX（顧客体験）の創出に力を入れている。実店舗ベースの企業も、指をくわえて眺めているわけではない。例えばウォルマートは、店舗にAIカメラを導入するなどして、デジタル化を急進している。

なぜ各社ともに実店舗にこだわるのか。店舗における購買の約7～8割は、予定になかった商品を購入してしまう「非計画購買」だと言われているからだ。デジタル化によって購買プロセスが可視化しやすくなった今、それを分析し、売り場での購買意欲をかき立てる手法をいち早く確立できた者が次の戦いを制するとも言われている。

この新たな戦場で一つの鍵となっているのが、ＡＩカメラを使った来店客の購買行動分析だ。国内のリテールでは、１９８０年代頃から、何が、いつ、いくつ、いくらで売れたかというＰＯＳデータをもとに売り場での販促施策が練られてきた。顧客の固定化を狙ったポイントカード商法が定着して久しいが、今日ではどんなステータスの人物が購入したか、より詳細な情報まで紐付けられるＩＤ－ＰＯＳデータの活用も定着してきている。しかし、これらはあくまでも売れた商品に基づく分析で、購買に至るまでの導線やＰＯＰなどの販促ツールの効果、買わなかった人の商品棚の前での行動はブラックボックスのままだった。ＡＩカメラを使えば、それらがかなりの精度で判別できる。推測の域を出なかった行動も分析に生かすことができるのだ。

トライアルでは、セルフレジ機能付きのスマートショッピングカートに搭載されたタブレット端末に、セルフレジでスキャンした商品に応じたお勧め品や割引クーポンが表示される。皆が同じものを買って、それでよかった時代はとうに終わっている。

よく「顧客のニーズが多様化した」と言われるが、人間の本質がそうそう変わるとは思えない。昔から顧客のニーズは多様で、テクノロジーの進化によって、リテール側がようやくそれに追従できるようになってきたと言うほうが真実ではないだろうか。トライアルは、ＥＣサイトのように精度の高い One to One マーケティングを目指し、購買にこぎつけるための挑戦を続けている。

メーカーと消費者のマッチング

トライアルの独自性をより際立たせているのは、メーカーとの関係性だろう。トライアルには大きく２人の顧客がいる。１人はもちろん来店客、もう１人は商品を提供してくれるメーカーである。トライアルが定義するカスタマーサクセスとは、売り場を舞台とした「メーカーと消費者のマッチング」だ。

昭和30年代にダイエーが掲げた「価格破壊」の路線に多くのリテールが追随し、小売業は「よいものを安く」を是として発展を遂げてきた。今日でも、同じような店とコモディティ化した商品が街を埋め尽くしているために差別化が難しく、他店より安いかどうかだけが競争力になってしまっているケースが多く見られる。一方、メーカーは安易な安売りの横行に抵抗を示してきた。

トライアルも、人によってはスマートストアよりディスカウントストアのイメージが強いだろう。だが、これは商品の仕入れ値を安くしているからではない。テクノロジーによって省力化、効率化を進めると同時に、グループ内に物流機能や商品開発・製造機能を持つことで、構造的なローコストを追求し、それが価格に反映されているのだ。

また、トライアルは前述のAIカメラなどによって、購買データを蓄積・可視化し、メーカーと協力して次の展開を考えている。

例えば、お酒を飲まない人にいくらビールのクーポンを発行したところでただの紙屑に過ぎない。だが、購入履歴をもとにその客が買いそうな商品のクーポンを渡すことができれば、メーカーと来店客、双方にとってメリットがある。「ビールを買わないお客さまには、炭酸水や健康ドリンクを勧めてみよう」「いつも決まった銘柄のビールを買うお客さまには、2杯目として新商品を勧めてみよう」といったように、売り場でもECサイトさながらの精度の高いマッチングを実現しているのだ。これによって、メーカーはコンバージョン（購入）率の高い顧客にアプローチできると同時に、無駄な販促費用を抑えることができる。欲しい人に勧め、欲しくない人には勧めない、非常にシンプルな話だが、既存のスーパーにはできなかったことであり、これまでのリテールとメーカーの関係性とも一線を画すものだ。

トライアル田川店で見たものとは

トライアルは、2018年2月にオープンした福岡市のアイランドシティ店を皮切りに、3年間で35店舗をスマートストア化している。ここからは、ほぼ毎日、近所の一般的なスーパーで買い物をする筆者が、「スーパーセンタートライアル田川店」をレポートする。

田川店は、AIカメラ、セルフレジ機能付きスマートショッピングカート、デジタルサイネージ（電子看板）、電子棚札などを実装したスマートストアだ。

死角なく配置されているのは、Retail AIが独自に開発した350台のAIカメラ。商品の欠品を検知し、品切れによるチャンスロス（販売機会損失）を減らすと同時に、商品廃棄率の削減も狙う。将来的には商品の自動発注まで見据えているという。またAIカメラは、店内各スポットにいる来店客数をカウントし、来店客がどの通路を通り、どの棚の前で立ち止まったか、どの商品をカゴに入れどの商品を棚に戻したかも個人を特定しない形でチェックしている。前述のように、POSデータでは推測の域を出なかった顧客の行動が、分析可能なデータに復元できるのだ。

前述のとおり、買い物の間、スマートショッピングカートのタブレットには、スキャンした商品に応じたレコメンドや割引クーポンが表示される。スマートショッピングカートを利用する顧客の買い上げ点数は、他の顧客に比べて4、5点多いというデータも出ているというから、この施策が購買意欲をかき立てていると言って間違いないだろう。また、タブレットには、現在カゴに入っている商品の合計金額が表示される。支払い前に合計金額がわかると節約思考が働き、購買を控えるのではという考えもあるが、トライアルがフォーカスしているのは1来店当たりの単価ではなく、心地よい買い物体験を提供することによる来店頻度の増加と、それに伴う売り上げの向上であり、それが夢物語ではないことはすでに実証済みだ。

田川店は、スマートストアとしてリニューアル以降、来店頻度が13%、売り上げは6%向上し、地域でのシェアは20%から26%に拡大したという。売り場を案内してくれたトライアルの内山智博（うちやまともひろ）は、「お客さまは、地域の中でより買い物しやすい店舗を選んで来店してくださっているのではないか」と話す。

さて、筆者がバナナ売り場の前で立ち止まっていると、「真っ直ぐで黒っぽくなりかけているものが美味しいですよ」と、スタッフが声をかけてくれた。そのまま一緒に選んでくれて、売り場で最も美味しそうなバナナをスマートショッピングカートに入れた。次からはそういう観点でバナナを選べば間違いない。他店でも使える汎用的な知識を授けてくれる接客こそ、売り場で一番お得に感じられるものかもしれない。

ところ変わって、北海道札幌市に本社を置くドラッグストアチェーン、サツドラの富山(とみやま)浩樹(ひろき)社長は、以前、アマゾンが運営するレジレスコンビニ「Amazon Go」を初めて体験したときの衝撃をこう語ってくれた。「3日連続で行ったら接客専門の方が顔を覚えてくれて、『今日は調子どう?』と話しかけてくれたんです。当時、日本のメディアはAmazon Goを無人コンビニと表現することが多かったのですが、実態は違いました。Amazon Goがやったのは、売り場が接客に注力できるよう、その他の作業を極力なくすということなんです。僕は反省しました。自分の店は常に人手不足にもかかわらず、品出しして在庫管理して、あれもこれもしながら笑顔で接客してね、と無理強いをしてきたことに気づいたんです」

それ以降はサツドラも、AIカメラを活用した売り場の効率化や、顧客行動データを生かした販促・マーケティングに取り組んでいる。データ分析によって努力の方向性が見えやすくなれば、売り場は接客に注力でき、顧客満足度も高まる。

トライアル田川店に話を戻そう。最後に待ち受けるのはウォークスルー決済だ。プリペイド機能付きポイントカードを手にスマートショッピングカートを押して専用レーンを通過するだけで決済が完了する。ものの15秒だ。

取材の翌日、筆者はまた件の近所のスーパーを訪れ、5キロの米を購入した。米が入った買い物カゴをレジカウンター、そしてサッカー台に乗せたとき、「こんなに重いものを何度も持ち上げて、高齢者は腰を悪くしないだろうか」と感じた。この不便さは、トライアルのウォークスルー決済を体験しなければ、自分が歳を取るまで気づかなかったかもしれない。

コロナ禍で来店頻度が増えた理由

2020年7月のインタビューで、永田は、「コロナ禍における新しいデータをいち早く可視化し、売り場で仮説検証までやっていきたい」と意気込んでいた。およそ半年後の12月には、その視界に晴れ間が差してきているようだった。

まず、筆者が気になっていたのは、「買い物は3日に1回程度」という呼びかけや店内滞在時間の短縮が、7割から8割にも上ると言われてきた非計画購買の割合にどう影響したのかということだ。凸版印刷と協働して電子チラシサービス「Shufoo!（シュフー）」を運営するONE COMPATHが行った意識調査では、「予定していたものだけを購入」が倍増し、「8割は予定せず、店頭で判断したものを購入」が半減した。これはあくまでも意識調査だが、実際の購買データでも非計画購買の割合が大幅に減少しているとすれば、トライアルの企業戦略の根幹を大きく揺るがす事態だ。永田はこう語る。

「購買行動やID－POSデータを見る限りでは、どれが計画購買で、どれが非計画購買だったかまだはっきりしていません。これは次の課題ですね。でも、はっきりしていることもあって、コロナ禍で来店頻度は約15％増えているんですよ」

これは、先の意識調査にある数字とは異なる結果だ。コロナ禍前に21・7％だった「ほぼ毎日」買い物に行く割合は、コロナ禍で12・3％にまで落ち込んでいる。また「2～3日に1回程度」も微減。一方で、「週に1回程度」「月に2回程度」「月に1回程度」はそれぞれ増加しており、総じて来店頻度は減っている。

なぜ、トライアルでは来店頻度が増えているのだろうか。永田は、「非接触・非対面を実現していることが差別化に繋がっているのでは」と分析する。一般的に、レジに並んでから会計を済ませて外へ出るまで5分程度はかかる。これがトライアルのスマートストアの場合、スマートショッピングカートとウォークスルー決済によって十数秒から1分弱で決済が完了する。もちろん、レジ担当者との接触は限定的だ。できる限り接触を避け、短時間で買い物を済ませたいというコロナ時代のニーズにマッチし、「買い物しやすい店」になっているのではないかというのだ。コロナ禍で非接触決済や省人化を真剣に検討し始めたスーパーが増えていると永田は言う。

「スーパーの中には、コロナ禍で売り上げが好調に転じ、IT投資の貯金ができたところもあります。これまでコスト面でDXに二の足を踏んでいた企業が動き始めているんです」

それらの中には、スマートショッピングカートの導入について相談をしてくるスーパーも急増しているとのことだ。

リテール業界を疲弊させる46兆円のロス

140兆円規模を誇る日本のリテール市場。トライアルによれば、その約3割にあたる46兆円のコストがいまだ最適化されておらず、業界全体を疲弊させる要因となっているという。46兆円の内訳は、広告費8兆円、営業コスト6兆円、リベート関連費14兆円、廃棄ロス関連11兆円、新製品開発コスト7兆円。中でも、持続可能な開発目標（SDGs）の一つに据えられるほど世界的な議論となっている食品廃棄ロスは、デイリー食品カテゴリーだけでも500億円に上る。精度の低い需要予測が招く無駄は、われわれが想像する以上に大きい。また、売り場に商品を届ける物流に至っては、労基問題や過積載により行政処分を受ける企業が後を絶たない。リテールを取り巻く課題は、もはや一企業の努力では解消しがたい社会問題と化している。

トライアルは、2020年2月、業界を蝕むこれらの課題解決と、新たな買い物体験の創出を目指すリテールAIプラットフォームプロジェクト「リアイル」を発表した。店舗とリテールAI技術を有するトライアル、メーカーのサントリーと日本ハム、卸の日本アクセス、物流のムロオ、冷凍冷蔵ショーケースのフクシマガリレイの6社が連携し、AI活用によって46兆円の「ムダ・ムリ・ムラ」の解消に挑むというのだ。発起人の永田は、2020年7月にリニューアルオープンしたトライアル長沼店（千葉市）などを舞台に、「PoC（概念実証）レベルではなく、実際のオペレーションを変え、数値実績を出したい」とした。

異業種・競合の共存共栄

リアイルについて話すとき、永田は、「他社を巻き込んでプラットフォーム化する」と表現する。プラットフォームと聞くと、GAFAのようにインターネット上で大規模なサービスを提供する巨大な一企業、プラットフォーマーを想起するかもしれないが、永田の描く「リテールAIプラットフォーム」は、リテール業界のエコシステムを形成する企業が連携を強化し、それぞれが持つ資産や強みを共有し合いながら共存共栄を目指すモデルだ。

企業が連携してプラットフォームを目指す例はこれまでにもある。2015年に、味の素、カゴメ、ハウス食品といったライバル企業が共同で食品物流プラットフォームを構築し、さらに2019年には全国規模の物流会社F-LINEを発足した。北海道では、サツドラとコープさっぽろが提携し、2021年までに食品の調達はコープさっぽろ、日用品などの調達はサツドラに集約、コープさっぽろの物流網を通じて双方の店舗に商品を供給するとしている。物流を取り巻く環境は、トラックドライバーをはじめとする慢性的な人手不足、燃料価格の上昇によるコストの高騰など近年深刻さを増している。競争と協調を線引きし、組めるところは積極的に組むことによって、一企業では到底太刀打ちできない大きな課題に取り組む。そうやって少しずつボトルネックを解消した結果が、日々の心地よい買い物に繋がっていくのだ。

AIの導入だけでは変わらない

永田がもう一つ強調するのは、AI活用を前面に押し出したプロジェクトでありながらも「テクノロジードリブン（技術先行による製品・サービスの開発）ではない」という点だ。自身もシリコンバレーで起業した経験を持つ永田は、「シリコンバレーでは、テクノロジーを優先して消えていった企業がたくさんある」とし、店舗運営の現場に寄り添ったアプローチが求められることを示した。だからこそ、店舗、メーカー、卸、物流、ファシリティ（設備管理）、それぞれの当事者として店舗運営に取り組み続けてきた6社が組むことに意義がある。

さらに永田は、10年以上前から親交がある、『キャズム』の著者ジェフリー・ムーアの言葉を引用し、リアイルで実現したい未来を語る。

「AIでオペレーションを変えるだけでは産業は変わらない。顧客が変わると産業が変わる、顧客の行動が変わることにこそインパクトがある」

つまり、AI、ビッグデータの活用で最も注力すべきは、自分たちを取り巻く非効率的な環境を変えることではなく、「顧客体験（UX）を変える」ことだ。顧客のほうを向いて仕事をしている人なら共感できると思うが、顧客の反応はすべてを変える力を持っている。永田は、よりよい買い物体験を提供することが顧客の行動を変え、それがリテールで働く人々のマインドや環境を変え、やがてリテールの課題を本質的に改善していくサイクルを生み出すと考えている。

折り込みチラシに替わるものとは

サントリーは、トライアルのID－POSデータとSNSを組み合わせることによって、世代や性別、ライフスタイルといったセグメント単位での効率的な販促・マーケティングを展開している。これまでの手法といえば、折り込みチラシなど、店舗周辺の居住者に向けた画一的なものが一般的だった。トライアルとのプロジェクトに携わるサントリーの中村直人(なかむらなおひと)は、「変化の激しい購買行動とリアルタイムで向き合うために、トライアルと協力して新しい販促・マーケティングのスタイルを模索していきたい」としている。

さらに昨今のサントリーの課題は、「買い物から帰った後の食事のシーンで、いかにお酒の登場を増やせるか」だという。「お客さまは、冷蔵庫の残り、調理時間、栄養、見栄え、予算など、いろいろ悩みながら献立を決めています。その献立次第で飲み物も変わる。だから献立の検討に入り込むのは重要なんです。お客さまの悩みに寄り添って、最後に背中を押してあげる、そんなマーケティングが必要なんです」

サントリーとトライアルは、リアイル発足以前の3年間の協業を通し、すでに数値実績も上げている。トライアルにおけるサントリーのビール販売シェアは17・8％（２０１７年）から23・２％（２０１９年）に向上。また、トライアルの酒類売上高も、２０１９年は市場全体の伸び率が前年比１％だったのに対し、７％向上した。

ゴールデンゾーンに置くべき商品

コロナ禍でもサントリーとトライアルの購買行動分析は続き、ＡＩカメラによって興味深い事象が見えてきた、と永田は話す。「今までゴールデンゾーン（最も視界に入りやすく、手に取りやすい販売スペース）には新商品を置くことが定石とされていました。ところが、ＡＩカメラをずっと見ていてわかったことは、新商品を求めるお客さまは、ゴールデンゾーンになくても買ってくれる。逆に、定番の人気商品をゴールデンゾーンに置いたほうが、迷わず手に取ってくれて売り上げが上がるんです。今までのゴールデンゾーンの常識が変わったと言えます」

ゴールデンゾーンに置かれている商品の購入率は、その棚の8割から9割に上るとも言われる。そのため、重点商品や広告の品、そして新商品を陳列することで、売り上げが上がると考えられてきた。だが実際は、新商品はテレビCMなどで事前に情報を得た計画購買に当たり、探してでも買うということだろう。ゴールデンゾーンには定番商品を置き、迷わず手に取ってもらってどんどん在庫回転率を上げる。そして、新商品はゴールデンゾーンに置かなくても売れる。これがサントリーとの実験で見えたことだ。

キットカットの場所

もう一つわかったのは、売り場の中でキットカットを最も効果的に機能させる場所だ。トライアルではこれまで、キットカットは店の奥のエンドに置くことが多かった。エンドとは、陳列棚の中で主通路に面したスペース。パッと目につきやすく、衝動買い（非計画購買）を誘発する一等地と言われ、新商品や目玉商品、季節性の旬な商品など、そのとき需要が高まっている商品を置くと売り上げが上がると言われている。また、エンドには主通路から中通路に来店客を引き込む役割も期待されている。店の奥のほうのエンドには、「客引き」となる特売品や人気商品を置き、店内を回遊させるという仕掛けだ。

トライアルも、この法則に則って、キットカットを店の奥のエンドに置いていた。しかし、なかなか売れないトライアルのプライベートブランドの商品に替えて、ゴールデンゾーンにキットカットを置いたところ、棚の売り上げは約130％向上した。つまり、目立つ場所に売れ筋を持ってくることでカテゴリー全体の売り上げが上がるという仮説は正しかった。だが、キットカットを店の奥に置いて来店客を回遊させようというアプローチは、最も効果的かというと少し違ったのだ。おそらくキットカットは、計画購買ではなく非計画購買の部類で、来店客はキットカットをめがけて店の奥には進まない。「あ、おやつはキットカットにしよう」とふと思えるくらいの場所に置いたほうが売れるのだ。

リテール業界には、「売れる売り場の法則」のようなものが存在し、多くの店舗がそれを参考に売り場づくりをしている。十中八九、あなたの近所のスーパーの酒類売り場のゴールデンゾーンには、ＰＯＰ付きで新商品が並べられているはずだ。次にスーパーを訪れる際、ぜひ気にしてみてほしい。

イノベーションはオモチャから

永田には、ＤＸを進める上で大切にしていることがある。それは、テクノロジー先行ではなく、現場のオペレーションに寄り添って変化すること。永田は、「レトロフィット

（古いシステムに新しいテクノロジーや機能を追加して改良すること）」と表現する。

クレイトン・クリステンセンの名著『イノベーションのジレンマ』に、「イノベーションの流れはオモチャのようなものから始まる」という一節がある。出始めの頃は単なるオモチャかと思われたサービスやプロダクトが、やがて市場のメインストリームを侵食していく。そのとき、市場を牛耳っていた大企業は太刀打ちできずにディスラプト（変革によって崩壊すること）されていく。

永田は、「トライアルのAIカメラやスマートショッピングカートは、Amazon Go に比べるとまさにオモチャのようで、決してクールではありませんよね」と笑う。「でも、いきなり Amazon Go のようなハイテクノロジーから始めては費用対効果が出せません。まずは、オモチャから何ができるのか。とにかく、たくさん小さな銃弾を撃つんです。どの銃弾が命中するかなんてわかりません。でも、これと決まったら、ドスンと大砲を撃つというのが成功の秘訣だと思います」。ジム・コリンズの『ビジョナリーカンパニー』にそう書いてあったと言って、永田はまた笑う。

「小さな銃弾なら比較的簡単に撃てます。初めからドーンと大砲を撃とうとするから投資もリスクも高くなってしまうんです。例えば、このままではアマゾンや楽天にやられてしまうと言って、リテール企業が続々とECサイトを始めた時期がありました。しかし、最初から大きくやろうとしすぎて、ほとんどが軌道に乗らずに止めてしまった。まずは小さくPoCを繰り返し、どうすれば成功するか摑めてから大砲と一斉射撃、その順番がよいと思います」

だが、普通の企業では、小さな銃弾をたくさん撃つことも簡単ではないかもしれない。まず、「アマゾンや楽天に勝てるECサイトを作ります」などと大見得を切らないと、企画自体が通らないというのは想像に難くない。先に紹介したコープさっぽろは、もともと強い組織内のヒエラルキーをうまく活用し、トップが率先してDXの旗振り役をすることで、さまざまな足かせや抵抗勢力を一掃しようとしている。

トライアルは、オーナー企業であり、トップが腹を決めれば5年、10年という時間をかけてDXを進められる利点がある。2、3年で結果を求められ、その間、自分の評価も守るという呪縛にとらわれたサラリーマン社長タイプではきっとこうはいかない。

そして何より、「トライアル」という社名が、挑戦することを後押ししている。

「失敗したっていいじゃない」

永田は、挑戦を前に戸惑う社員がいれば、「僕たちは『トライアル』だよ」と言って背中を押すという。そこには、「挑戦なしに価値は生まれない、失敗は財産」という哲学がある。こういった企業文化の醸成と「ITの力で流通を変える」というビジョンの共有は、トライアルの礎となっている。

永田いわく、社内にビジョンを浸透させるために最も効果的なのは、テクノロジーで世の中が変わっていく事実を社員たちに腹落ちさせることだ。トライアルでは、ジェフリー・ムーアの『ゾーンマネジメント』、ジム・コリンズの『ビジョナリーカンパニー』など、社内に必読書が何十冊もあり、皆で徹底的に読み込むことで考え方を共有し、浸透させている。そのうち、社内の会話に本のフレーズが頻出するようになると、自分たちにとってAIがいかに大事なのか誰に言われなくとも理解し、行動できるようになる。

また、永田は、若手社員に対し、AIを体系的に学ぶため、G検定（一般社団法人ディープラーニング協会が実施するディープラーニングを事業に生かすための知識を測る検定）を取得するように働きかけている。「バイヤーやストアマネジャーといった既存の仕事はいつかなくなります。そうなったとき、現場にデータサイエンスを生かせる人になっておきたいよね」と伝えている。「彼らも自分の将来のことですから、ITパスポート試験の勉強から始めたり、統計学を学んだりと主体的に取り組んでいます」

現場がここまで本気になれるのは、経営陣の本気度が伝わっていることも大きいだろう。永田は、「AIを使わないなんて、死にに行くようなもの」、そう心の底から思っている。

「トップが、DXよりも目の前の利益のほうが大事だと言ってしまえば、その企業はそういう企業になってしまいます。もちろん利益の追求は大前提。利益がなければDXに投資もできないのですが、トップ自らDXよりも出店を増やすほうが大事だとか、リベートのほうが大事だという空気を醸し出してしまうと、DXは進みません」

シリコンバレーでの挑戦と撤退

永田自身、「トライアル」を体現するような人だ。米国の大学を経て、10年ほど前に中国で食品以外にも日用品や衣料を扱うスーパーセンターの事業にトライした。しかし、中国はもともと人件費が安く、店舗経費という概念がないということがわかって断念。その後、自社開発のデータ分析ツールを引っ提げ、シリコンバレーで起業するも、3年で撤退することになった。

シリコンバレーでの起業について永田は、「シリコンバレーで認められないと、世界で認められることはない」という都市伝説に乗っかったのだと笑うが、心中には、「日本であと10年はこのまま勝負できたとしても、30年後はわからない」という強い危機感がある。コロナ禍で、やるべきことの優先順位は大きく変わったが、近くまたアメリカに進出しようと考えている。

また、リテール発展途上国に流通の仕組みを構築するという新たな夢もできた。もちろん日本で実現できないことは、海外でもうまくいかないだろう。日本でしっかりと戦略を組み、盤石な体制で海外に挑みたい。「僕のチームは、ブラジル、ドイツ、バングラデシュ、フィリピンと、ますますグローバル人材が増えています。アフターコロナに向けた施策も着々と進めています」

競合スーパーと手を組む

2020年7月、トライアルは新たな挑戦を始めていた。北九州市のスーパーマーケット・アルク到津（いとうづ）店が、トライアルのスマートショッピングカートの試験導入を開始したのだ。これは、他のリテール企業の課題を解決するプラットフォーマーを目指すトライアルにとって大きな一歩だ。アルク到津店から一番近いトライアルは3キロ程しか離れていない。まさに競合店だ。

来店客は近所のトライアルですでにスマートショッピングカートに慣れていて、アルクでも、「これトライアルのだよね」と自然にスマートショッピングカートを使いこなす。おかげで最初の目標に定めた「スマートショッピングカートの稼働率20％」は早い段階で達成できた。

ところで、スマートショッピングカート導入前の懸念の一つに、「高齢者やＩＴに馴染みのない来店客にも受け入れられるのか」といったものがある。しかし、実際にトライアルを訪れると、その心配は無用だと感じた。

筆者は、２０２０年7月のトライアル長沼店リニューアルオープンの際、プレスとして腕章を付けて売り場を回っていたのだが、ちょうど孫のようで話しかけやすいのか、高齢の来店客からスマートショッピングカートの使い方を何度も尋ねられた。皆、興味津々で使っているし、「ありがとう、教えてもらったらわかった」と微笑まれた。高齢者同士で教え合う様子も見られた。そもそも、今や60歳以上のスマホ所有率は約８割。高齢者はＩＴが苦手、スマートショッピングカートは使わないというのは単なる思い込みに過ぎないのかもしれない。

しばらくして、アルクから嬉しいフィードバックがあった。スマートショッピングカート導入後、月間買い上げ額が7％アップしたという。この結果を踏まえ、アルクは2021年4月にオープンした八幡西店にもスマートショッピングカートやデジタルサイネージ、AIカメラを導入。スマートストアとしてのスタートラインに立った。多くのリテール企業にとって、CIOやそれに準ずる人材がいることは稀で、DXやスマートストアのような攻めのIT投資は難しい。だからこそ永田は、「トライアルですでに実績があるシステムを導入する」という近道を提示したいと考えている。「僕らの強みは、リアル店舗のオペレーションがいかに大変か身に染みてわかっていることです。同じような痛みを味わってきたからこそ、解決できる課題がたくさんあると思っています」

ちなみに、トライアルとサントリー、日本ハムが共同で実験中の「AIによる棚割」は、まだ人間が作った棚割を超える結果は出せていないという。

人間が作る棚割は、酒類なら350㎖、500㎖、6缶パックをパッケージごとに並べ、顧客目線での探しやすさを一番に心掛ける。一方、AIは売上データをもとに最適な配置を提案してくれるが、350㎖、500㎖、6缶パックを判別して棚割に落とし込むことまではできない。顧客にとって買い慣れた視界的要素までを読み込ませてはいないため、規則性のない並び方になってしまうのだという。各社が個別最適で抱え込んできたデータを共有し、ＡＩに読み込ませられるデータが増えていけば、いつか人間の棚割を超える成果を上げることができるかもしれない。

特別取材② 西成活裕

日本は渋滞に満ち溢れ、生きにくさを誘因する。渋滞の解消は、人間社会における重要な課題と言っても過言ではない。どうすれば渋滞はなくせるのか。「アリの行列は渋滞しない」という事実に着想を得た渋滞解消を提唱する「渋滞学」の第一人者、東京大学先端科学技術研究センターの西成活裕（にしなりかつひろ）教授を訪ねた。

アリの行列は渋滞しない

——西成教授が取り組む「渋滞学」とはどのような学問なのでしょうか？

西成　渋滞が起こる原因を調査し、解消に導く学問です。渋滞というと、車の渋滞を思い浮かべる方が多いと思いますが、人の混雑から物流、在庫、工場の生産ラインなど、流動的なもの全てが研究対象になり得ます。

——なぜ渋滞に興味を持たれたのでしょうか？

西成　「渋滞学」以前は、水や空気の流れを研究していました。でも、流れの学問自体は古くからあるもので、思いつく疑問は解明しつくされていたんですね。新たな発見のある研究がしたくて悶々としているうちに、30代も半ばに差し掛かっていました。

そんなとき、ドイツのケルン大学に留学し、学生たちの卒業研究のサポートをする機会に恵まれました。そこで、「アリくん」というあだ名の学生と出会ったんです。ドイツ語で「アーマイズくん」。彼が、アリの交通について研究したいと言い出して、みんなで爆笑したんだけど、「待てよ、面白いかもしれない」と。彼とともに1年間研究し、「アリは渋滞しない」という論文を書いたんですよ。これが、米国物理学会が発行する世界トップジャーナル『Physical Review Letters（フィジカルレビューレターズ）』に認められたんです。だってそんな研究、誰も思いつかない。まず、アリが渋滞しているかどうかなんて、誰も関心を持っていませんでしたから（笑）。

――着眼点の勝利ですね。なぜアリは渋滞しないと気づいたのですか？

西成　一列になって歩くアリをひたすら観察していたら、「さすがのアリさんも道が混むとイライラするのかな」なんて、いつの間にかアリに感情移入していたんです。でも、さらに観察していると、ある程度混んできても、アリは前に詰めないことに気づいたんです。もしかしてアリはそれを最優先事項として生きているんじゃないかって思ったんです。

――前に詰めないと、どんな効果があるのでしょうか？

西成　詰めないことで、アリとアリの間に空間ができるので、動きが止まらないんです。人間は、混んでくると早く前に行きたいと思って詰めるから、動けなくなるんですよ。この発見がきっかけで、渋滞解消には車間距離を空けることが大事だと考えるようになりました。車間を空けておけば事故も減ります。アリはすごいことを教えてくれました。

——アリが渋滞しているか否かは、どのようにして判断するのですか？

西成　アリの通行量に注目しました。車道の場合、混んでくると車が動かなくなりますよね。そうすると、ある特定の区間で見たときに、通過していく車の台数が減ります。アリも、特定の区間の通行量が多いか少ないかで渋滞しているかどうかが判定できると考えたんです。

考え方は、数学の「中間値の定理」と同じです。アリが1匹ならもちろん通行量は少ない。逆にアリがビターっとくっついていても、動いていないので通行量は少ないと考えます。だから、アリがほとんどいない状態と、密集している状態は、どちらも通行量がほぼゼロなんですよ。その考えに基づくと、アリが1匹しかいない状態を起点としてアリが増えていったとき、初めは通行量が上がってきます。そして、あるタイミングからまた減少に転じて、ゼロに近づいていく。このピークを越えたところ、つまり折線グラフにしたときに、三角形の頂点が下がり始めたところからが渋滞だとピンときまして。私の中で、数学とアリがくっついた瞬間ですね。

「働かないアリ」はサボっているわけではない

――アリを観察していて、他にも何か気づいたことはありますか？

西成　たまに列から外れるアリがいます。よく、「働きアリのうち勤勉に働いているのは全体の2割、普通に働くのが6割で、残りの2割はサボっている」なんて言われますが、サボって見えるアリも、実は新しい巣やエサを探す役割を担っているんですよ。

――大企業の新規事業部みたいですね。

西成　そうなんです。全員が同じ業務をやっていると、それが立ち行かなくなったら終わりです。1～2割のうろうろしている社員が、飴が落ちているのを見つけるんですよ。それから、同じ巣のアリはケンカをしません。アリは愛に満ち溢れていて、邪（よこしま）なことは考えない。人間も道路に敵対感が蔓延するとダメなんですよ。譲り合いが大事なんです。

自動運転で渋滞はなくなるのか

――「渋滞のときは車間距離を空けずに詰めたほうがよい」と主張する人もいますね。

西成 そう、実は「車間距離を空けたほうがよい」という仮説に対して、「車間距離を空けても、割り込まれたら終わりじゃないか」という投書が山のように来ています。

道路にいる全員が、「車間を空けたほうが特だ」と考えてくれれば渋滞は減らせます。しかし、現実はそうじゃないので割り込まれることは確かにある……それが悩ましかったのですが、なんと自動運転の時代がくるじゃないですか！ それを駆使して、割り込まないようにプログラムしてしまえば全体の最適化ができる。どう走れば渋滞が減るかは学問的にわかっているので、このぐらいの車間距離のときはこのぐらいの速さとか、ここは隊列走行で交通量を稼いでいるから割り込まないように、といった情報を全てインプットし、AIの判断に反映します。自動運転時代は、私にとっても追い風なんです。

――自動運転の研究開発もされているんですか？

西成 大手自動車メーカーと連携して取り組んでいます。自動運転は、組織の垣根を越えて考えるべき課題です。各社が違う規格で開発をしたら、全体の最適化は望めません。

自動運転で適切な車間距離を保つ仕組みとは

――自動運転では、どのようにして車間距離を制御するのでしょうか？

西成　電波を使って車両や歩行者を検知するミリ波レーダーという技術を活用します。目の前の車にミリ波レーダーを発し、返ってくる時間で車間距離を算出します。それに応じて、車間距離が詰まらないように速度調整をするわけです。

――自動車メーカーの方にも、アリを用いて説明するんですか？

西成　アリだけではなく、イワシの群れや渡り鳥などを参考にしている自動車メーカーもあります。車を一種の群れとみなし、通信し合いながら最適な動きをすればよいという発想です。生物は偉大です。群れを成す生物は、言葉を交わさずに統制をとっているわけですから、何かもっとシンプルな方法があると思っています。自動運転は、システムが複雑化すると通信時間がかかってダメなんですよ。可能な限りシンプルなほうがいいんです。

――5Gの時代になって、さらにシンプルなプログラムが出来上がったら？

西成　異次元の世界に突入ですね。人間は見て、判断して、行動するまでに0・5秒かかると言われていますが、自動運転でミリ波レーダーとAI技術を活用すると、0・2～0・3秒に短縮できると言われています。5Gになったら、さらに速く通信できるようになるので、より迅速な判断が可能になります。多くの渋滞や事故は、未然に防げるようになるでしょう。

さらに、2018年に興味深い論文が出ました。自動運転だと、前の車から情報をホッピングして受け取ることができるのですが、対向車線の車からホッピングするというアイデアが書かれていたのです。つまり、対向車線の車から数キロ先の情報を得られるようになるんですね。感動しました。車同士がコミュニケーションすることで、広い情報を一瞬で手に入れられる。技術の進歩によって夢はどんどん膨らんでいきますね。

日本は、始める前に会議で潰す

――実際に渋滞が改善した国はあるのでしょうか?

西成　各国がさまざまなアプローチをしているのですが、究極の渋滞解消法は「休暇分散」と言われていて、実際にドイツやフランスで採用されている方式です。「みんなで同時に休んだら、混むに決まってるでしょ」ということです。わたしも国土交通省に、関西と関東でゴールデン・ウィークをずらしましょうと提案したことがありました。非難囂々で、実現はしませんでしたが。

——それこそ物流が止まってしまうとか、ネガティブな反応だったと伺いました。

西成　日本では、「失敗したらどうするんだ」と言われて、私の提案は十中八九潰されていますから（笑）。例えば、オランダは、「やってみてだめだったらそのとき考えよう」というスタンスで、やってから会議するんですよ。日本はやる前に会議で潰すんですよね。この違いは大きい。

——失敗するとしても、やってしまえば議論の材料となるデータが多く手に入りますね。

西成　おっしゃる通り。特に新しい技術に関しては、失敗から学べることのほうが多いですよ。失敗を恐れて動かないことは、死を意味します。

縦割りが、日本のMaaSをダメにする

——今、MaaS（Mobility as a Service）の分野で、多くの企業がしのぎを削っています。西成教授は、現状をどう見ていますか?

西成　このままではどの企業も危ないと思います。MaaSは、一部を切り取って単体で成功させるのが難しい。公共交通機関や、タクシー、レンタカー、カーシェアリング、物流、ホテル、そして決済の流れ——こういったもの全てを包含するプラットフォームを協

力して作っていかないと、個別最適でガラパゴス化し、結局使われないサービスになってしまいます。

ＭａａＳは技術先行のように見られることが多いのですが、それだけじゃダメなんです。カオスマップを織りなす企業に求められるのは、競争と協調をうまく線引きし、協調できるところは積極的に組んでいくことです。

特に、日本の物流業界に対してそう思います。アマゾンは、いまや輸送船や貨物航空機も有している。もたもたしていると、今以上にアマゾンがなにもかも運ぶようになるでしょう。アリババも物流に2兆円近く投資しています。対して日本企業はその額が二桁少ない。普通に戦って勝てるわけがありません。だったら、協調するしかないし、競っている場合ではない。そこに気づいてほしいんです。

――しかし、ライバル企業が協調するのは難しいですよね。

西成　よい事例があります。味の素、カゴメ、ハウス食品、日清フーズ、日清オイリオといった食品会社が「商品は競争、運ぶのは協調」として、２０１９年に共同出資でＦ－ＬＩＮＥという物流会社を立ち上げました。ほかにも北海道では、大手ビール会社が協力し、ＪＲ貨物で混載して商品を運んでいるんですよ。

「商品や注文数は競争だけれど、運ぶのはみんな一緒でいいじゃないか」という時代がきたら物流は変わってきますよね。これ、究極のＭａａＳですよ。Ｗｉｎ－Ｗｉｎなんですよね。

――企業が垣根を越えて協調するには、どんな工夫が必要でしょうか？

西成　協調によってメリットが生まれるビジネスモデルを考えることです。例えば、観光客が成田空港に着き、移動して、赤坂のホテルに泊まるとします。スマートフォンで最適なルートが提示され、公共交通機関やタクシーの予約、支払いまで一度に行えるようにするには、航空会社、公共交通機関、タクシー会社、ホテル会社などざっと見積もってもそれくらいの会社で利益を配分しないといけません。みんなが参加して利益を生み続ける仕組みをつくらないと、「国の補助金でＭａａＳ始めました、補助金なくなりました、さようなら」となってしまいます。

また、学会も変わらないといけません。今の学会は分野ごとの縦割りです。歴史ある学問にも新しい流れを動的に取り入れていかないと、社会に必要な人材は輩出できません。我々はこれから日本をどんな国にしていきたいのか――そんな議論あってのＭａａＳだと思います。

アリの社会性に着目し、渋滞解消や自動運転技術の進展にまで寄与させた西成教授の話は、ユニークかつ示唆に富んだものだった。しのぎを削る者同士が「競争ばかりではなく協調もする」ことで、より速く、大きな課題に挑める。一歩を早急に。未来は待ってくれない。

イカセンター――コロナ禍直撃の飲食店が取り組んでいること

いわずもがな、飲食店、とくに夜間が主戦場の居酒屋はコロナ禍で大打撃を受けている。店側が辛(つら)いのはもちろん、以前のように足を運ぶことができず辛いという読者も多いだろう。本項では、居酒屋代表として「イカセンター」の取り組みについて聞いた。

居酒屋がDXやってみた

イカは人間が想像する以上に繊細で、環境の変化に敏感な生き物だ。新鮮な活き造りを提供するには、イカを生かしたまま運んでくる必要があるが、これが非常に難しい。イカの多くが輸送にともなう振動や、住環境の変化に興奮してパニックを起こし、自分が吐いた墨とアンモニアによって命を落としてしまうのだ。

東京・神奈川に7店舗を展開する「イカセンター」は、港町でしか食べられないような新鮮なイカ料理を楽しめる居酒屋として人気を誇っている。

筆者は、イカセンターの存在がずっと気になっていた。２０１６年頃、金融機関のフィンテック担当者との会食がことごとくイカセンターで開かれるようになったからだ。

近い将来、銀行は必要なくなるのではないか――そんな話がささやかれていたこの頃、金融機関内におけるフィンテック担当者への風当たりは今よりも強かったように思う。既存事業とのカニバリズムや、ルールからの逸脱が許されない企業文化、始まったばかりでまだ目立った成果を上げていないにもかかわらず、新規事業担当者としてメディアにもてはやされることへの嫉妬……ストレス社会を3倍濃縮したような世界と、Tシャツにパーカーのスタートアップの世界を行き来する彼らは、競合であろうが関係なく、市場を創る仲間としてイカセンターに集まっていた。夜のイカセンターの存在が、フィンテック担当者たちに明日も戦う力を与えていたと言っても過言ではない。

魚の世界は一見さんお断り

イカセンター自身も、閉鎖的で保守的な魚の世界で戦ってきた歴史がある。魚の世界は、新参者がどんなにお金を積んでお願いしても売ってくれない。確かな信頼関係なしに、最高級の食材は仕入れられないのだ。イカセンター全店舗の立ち上げの陣頭指揮をとってきた共同代表でもある藤嶋健作(ふじしまけんさく)は、後継者不在で廃業を余儀なくされていた地元の仲卸会社を譲り受け、南房総の船形(ふながた)漁港に出入りするようになった。当初は競りに参加するための買参権がなく、他の業者に頭を下げて仕入れ続けた。藤嶋という人は、飲食チェーンのトップでありながら毎日店に立ち、閉店後、漁港に通い続けているらしい――その熱意は徐々に港に受け入れられ、漁協の幹部から買参権の付与を打診されるまでになっていた。10年の月日が流れていた。

しかし、そこまでしてもまだ新鮮な料理を提供できるわけではなかった。輸送中のイカの鮮度を保つための高度なシステムが必要だったのだ。イカは非常に繊細な生き物で、ほかの海産物と同じ輸送方法では、1時間ほどのあいだにほとんどが死んでしまう。最初の3カ月は店に届くまでに全滅という経験を何度もしながら、海水濃度や温度、酸素濃度などを微調整するという地道な試行錯誤を繰り返した。現在は、特注のイカトラック4台を擁し、イカがストレスを感じない環境をコンピューター制御によって維持しながら運んでいる。

街には、「漁港直送」を謳った看板が溢れている。しかし、中には漁港の仲卸を介して買うことをそう表現する店もある。イカセンターのように自分たちで調達し、輸送までするのは並大抵のことではない。

居酒屋がDXを始めた理由

さて、本項では、そんなイカセンターが始めたDXと、そのアプローチを紹介する。一般的に、飲食業界はアナログな業務が大半を占め、デジタルで物事を考えるのが苦手な人が多く、IT投資に消極的だ。モノになるかどうかはっきりしない段階では、「これまで人力で何とかなってきたじゃないか」となりがちだ。イカセンターも決して例外ではなく、専任のCIOを採用するのも今はまだ現実的ではない。

そもそも、なぜイカセンターにDXが必要となったのか。イカセンターのもう1人の共同代表、伊藤尚毅（いとうなおき）はその理由をこう語る。「最高級の食材を漁港で直接調達できるのでコストパフォーマンスがよいとは言え、高級料亭や高級寿司店と同等の食材を使っているので原価は非常に高い。『おたく、それで経営回るの？』ってくらい原価をかけているんです。実際、他のコストをかなりコントロールしないと経営が成り立たないんです」

飲食店には2大コストと呼ばれるものがある。原価と人件費だ。原価はただ下げればよいというものではない。下げ過ぎれば確実に顧客満足度が下がる。伊藤は、「しっかり原価をかけてよいものを提供するのがイカセンターの競争優勢性である以上、原価が高くなるのは仕方がない」と言う。人件費、これも悩ましいところだ。よい食材を使えば、単に煮て焼いただけでも美味しい料理にはなるという。しかし、高い知識と技術力を持った料理人でなければ、真に食材のよさは生かしきれない。そして、そういう料理人は給与も高い。

以前からイカセンターの経営会議では、繁盛している店、苦戦している店を本部のホワイトボードに貼り出し、スタッフの名前を記したマグネットを使って最適な布陣をシミュレートしていた。マグネットを移動すると誰かが「そうしたら新宿総本店は人件費かかり過ぎじゃない？」と指摘し、財務担当が電卓を叩いて、「人件費40％超えますね」「そりゃあちょっとまずいよ」といった議論が繰り広げられてきた。当然、スタッフ同士の相性や、「この人は調理スキルは高いが接客は苦手」といった情報は数字に表れない。必要な情報が視覚化されないまま、全員が自分の感覚だけで意見を述べる。会議は毎回長時間に及び、モヤモヤが残ったまま重要な経営判断がなされていた。「各店舗の原価と人件費、スタッフそれぞれの強みと弱み、売り上げのバランスなどを全部見ながら議論できたらいいのに」――伊藤は、真っ先にデジタルに強い右腕・石川陽一(いしかわよういち)に相談を持ちかけた。

石川は、ａｕカブコム証券でシステム統括役員補佐をしながら、副業でイカセンターと関連企業のデジタル化に携わっている。スマートフォン8台、タブレット1台、パソコン

2台を常時持ち歩き、両腕にスマートウォッチを装備して自らの体調や行動のデータ化を図っている。飲食業界の「普通」からすると、かなり変わり者だ。

『ウイニングイレブン』に学ぶ

昨今、働き方改革の要請から人事のデジタル化が叫ばれ、人材採用や育成、評価、タレントマネジメントといった領域のITサービスがHRテックと呼ばれて注目を集めている。石川はまず、メジャーなHRテックサービスを10ほどピックアップし、試用で使えるものは実際に使いながらそれぞれの特徴を把握していった。最初の印象では、「これらのサービスが伊藤のニーズに応えられるのでは」と直感した石川だったが、実際に触ってみると、人と人との関係性の見える化がメインで、経営者目線のヒト・モノ・カネの議論には物足りないことがわかった。

伊藤がやりたかったのは、要は各店舗の戦力バランスの見える化と人材配置のシミュレーションだ。ほしい画面をイメージする中で、伊藤が「まさにこれだ」とピンと来たのは、『ウイニングイレブン』というサッカーゲームだった。

「『ウイニングイレブン』には、プロサッカーチームの経営者モードがあって、誰をどこに配置し、このときのチームの総戦力値がいくらで、年俸総額はどれくらいといったフォーメーションをシミュレーションできるんです。当然、強い選手を獲得したくても無尽蔵にお金が使えるわけではなく、予算の中から捻出しなければなりません。でも、お金をかけて強い選手が獲得できれば、チーム力が上がり、全体のパフォーマンスも上がる。この選手はミッドフィルダー気質、この選手は左でプレースキックが蹴れる、今のチームに足りないのはこんな選手……やりたいことは全く一緒です」

伊藤の思い描く最終形は、店舗間で人材をドラッグ・アンド・ドロップすると、人件費やスキルといった付帯データも付いてきて、いとも簡単に総戦力値の変化をシミュレーションできるユーザーインターフェース。これがあれば、どういう戦力バランスの店に仕立て上げれば業績が上がるのかも明確になるはずだ。

石川は、「伊藤さん、簡単に言うけど、このゲーム作るのにいくらかかるかわかってます?」と釘を刺したが、心の中では一つの答えにたどり着いていた。「ビジュアライズに強いＢＩツールを使えば、近いことが安く実現できるのでは」と。

ＢＩ（ビジネス・インテリジェンス）とは、さまざまなデータを、収集・蓄積・分析・加工し、経営の意思決定を支援すること。さまざまなツールが提供されているが、中でも人気のTableau（タブロー）は、わかりやすく直感的なデータビジュアライズが得意だ。この時点ではまだ本格的なデータビジュアライズの経験がなかった石川は、知人のデータアナリストの協力を取り付け、早速、Tableauをベースにイカセンター版『ウイニングイレブン』の開発に取り掛かった。

ぶつかるデータアナリストとエンジニア

データアナリストとの仕事は、石川にとって新たな気づきと無理難題を押し付けられることの連続だった。「データの専門家ってね、とにかく持ってるデータ全部くれって言うんですよ」

まずは、導入したばかりのクラウドPOS・レジシステム「スマレジ」から、数日がかりで全取引データを取得した。それに、各スタッフの「接客スキル」「調理スキル」「意欲・姿勢」「協調性」を5段階評価で表した値を掛け合わせ、分析を試みた。そして、データ内の関係性を直感的に理解できるよう、グラフや図を用いた見せ方を「ああでもない、こうでもない」と何度も練り直す。結局、半年かけて60パターンものプロトタイプが考案された。

「データアナリストとの仕事は、自分がこれまでやってきたアジャイルのアプローチとは異なるものでした。BIは、今まで見えていなかったものが見えてくるというのが醍醐味なので、まずは裏側のデータの整備がものすごく重視される。さらに、とにかくたくさんのビジュアルパターンを作って、どれがユーザーに刺さる見せ方なのか探りながらブラッシュアップしていく。その分、とても時間がかかるんです」

石川自身は、データの整備よりも先に動くものを作って見せるスタイルを好む。どちらがよいということではなく、DXにおいて両者のバランスは意識すべき点だろう。データ活用がもたらす経済的価値を指して「データは新たな石油」などと言われる。そして、石油と同じく精製しなければ、いくらデータがあっても使いものにならないとして、データの整備に力を入れる企業は多い。セオリーとしては正しいが、それを重視しすぎて1年も2年もかけて具体的なアウトプットがなく、その上、「このデータは使えなかった」「PoCだけで終わりました」という結論になったら目も当てられない。

経営層にとってITは、わかりやすいかどうかが重要なのだ。DXを阻むものによく「経営層の理解不足」が挙げられ、何度も丁寧に説明するよう助言する記事を見かけるが、マニアックな説明やできない言い訳を繰り返すより、早く動いているものを見せたほうがいい。

くどくど言う前に、動くものを作ってみればいいじゃない

初めは手探りだった石川だが、持ち前の探究心でBIに関するかなりの知識を習得し、半年もすると、現場でニーズが生まれればすぐに石川が反映していくというスタイルが出来上がっていた。

Tableau よりライセンス費用が抑えられる Power Platform（パワープラットフォーム）に手応えを感じてからは、Power BI をベースに開発を進めている。取材時点でまだ実用化には至っていないが、スタッフ名にカーソルを合わせると各スキルの評価が表示されたり、店舗間でスタッフを移動させれば瞬時に対象店舗の戦力値に反映されたりと、順調に改良を進めている。

「Power BI と、それっぽいユーザーインターフェースが作れるアプリ開発ツール・Power Apps の連携は、海外のユーチューバーが上げた動画を参考にしました。海外のほうがBI活用が進んでいて解説も豊富です。とにかく自分で情報収集して、なるほどと思ってやってみるしかないんです」

伊藤は、この石川の姿勢に惚れ込んでいる。3年ほど前、イカセンターで一部作業をソフトによって自動化するRPAの導入を検討したことがあった。当時はRPA自体がまだ走り。それでも調べてみると20製品ほど引っかかる。「普通のIT担当者なら、メジャーどころに資料請求して比較表を作ったりすると思うのですが、石川さんはすぐに20製品全部試したんですね。『僕、ひと通り全部使ってみました』って。『ユーザーとして使って、ヘルプデスクにも問い合わせてみて、全部自分で触ってみた結果、これとこれがよかったよ』って。そういうアクションを取れる人って、実はどの領域でもなかなかいないですよ」

石川は、「比較表作りが嫌いなんです、そんなの作ってる暇があったら実際に使ってみます」と笑う。「DXの記事でも講演でも、デジタル化に乗り遅れた日本企業とか、そのせいで国際社会で日本の存在感が薄くなっているとか、みんなわかりきってることをくどくど説明してどうするんだって思います。そんなことを言う前に、触ったり、動くものを作ってみればいいじゃない。そうでないと、今の時代、ツールを使えば1日でアプリが作れちゃうってことにも気づかずに終わっちゃいますよ」

副業で他社のＤＸを担う

石川は、２０１８年、本業のａｕカブコム証券（当時はカブドットコム証券）が副業を解禁したことを機に、旧友のたっての頼みでイカセンターと関連企業のデジタル化に携わり始めた。現在は、本業９割・副業１割という比重で取り組んでいる。本業では創業当時からＩＴ部門の中核を担い、社外のカンファレンスでも積極的に登壇している。決して時間に余裕があるようには見えない。旧友の頼みとはいえ、石川はなぜ、アナログな飲食の世界で副業を始めたのだろうか。「理由は単純明快で、面白そうと思ったから。実際に働き始めてからも、『便利になった』と言われることが素直に嬉しいです」

ネット企業を中心に、今や多くの企業が副業を解禁している。副業を考える人は着実に増えているものの、自分のスキルがどこで売れるのかピンと来ない人も少なくないだろう。一方、多くの非ＩＴ企業にとって、ＩＴの知識やノウハウを持った人材は貴重な戦力だ。しかも、ＩＴベンダーにお願いするよりリーズナブルに実践的なスキルを取り込める可能性がある。社外でも力を発揮したい人と、それを求める企業側が繋がれば、双方にメリットがある。

副業を考える人に石川からアドバイスがあるとすれば、「得意でも好きでもないことを無理にやるべきではない」だという。本業が忙しく、副業は週末にとなるケースは往々にしてあり得る。そうなるとやはり、得意なことか、休日返上でも嫌にならないほど好きなことでないと続かない。石川は、わからないことが出てくれば自分で調べ、仲間と勉強会を開いたり、自分でも講演してみたりして理解を深めるということを続けている。コツをつかんだと思ったら、すぐにまたわからないことが出てきてその繰り返しだ。

「毎晩、明日はもう起きられないかもしれないと思って寝るんです」と石川は言う。5年前に倒れ、心臓にＩＣＤ（植え込み型除細動器）を埋め込んだ。だが、だからと言って周囲に余計な心配はさせたくないし、働き方のルールを複雑にしてやりたいことができないのは嫌だ。自分で心拍数や血中酸素濃度を把握できるよう、両腕にスマートウォッチを付けて日常生活を送る。「絶対に負けないぞ」と自分に発破をかけ、出し切る毎日がいい――石川が目の前のことに全力を注ぐのにはそんな背景もある。

副業と外注（受託開発）の違い

副業のあり方に決まりはないことを前提に、副業と一般的な外注（受託開発）との違いはどこにあるのだろうか。イカセンター版『ウイニングイレブン』は、最初から完成形や納品スケジュールが決まっていたわけではなく、まずは叩き台を作ってみて、経営陣と石川がアイデアを出し合いながら改善していくアジャイル開発の手法を採っている。

アジャイル開発とは、多くの先進企業が採用するソフトウェア開発手法の一つで、ニーズの変化に柔軟に対応できることが特長だ。計画段階では厳密な仕様を決めず、大まかな仕様と要求だけを決めておく。その上で、動作するソフトウェアを短期間で作り上げ、検証し、改善するといったサイクルを繰り返していく。そのため、最初に作ろうとしていたものと、最後に出来上がったものが全く違うものである可能性も大いにある。一般的に、外注先からお願いしたのと違うものが納品されてきたら問題になるだろう。

このやり方は、石川がイカセンターの助っ人として深く入り込んでいるからこそスムーズに成り立つもので、成果物と納期をきちんと決めてスタートする既存の受託開発では限界がある。

「飲食店を含む中小規模の企業でＤＸが進まないのは、経営陣に問題があるケースもありますが、現場サイドにも問題がある」と伊藤は指摘する。外注しようにも、ゴールや成果物がなかなか決められず、逡巡しているうちに疲れて先に進めない――そんなことが、あちこちで起きているようだ。

アフターコロナも選ばれる店へ

今まで月5回外食していた人が、2回、3回に減れば、せっかくならばと店を選別するようになる。「コロナ禍で、『やっぱり人と会って外で食事するのは楽しいね』と再認識した面もあると思います。最もダメージを受けたと言われる居酒屋業態でも、特徴があって美味しい店は生き残ると思います。イカセンターも、新鮮さや美味しさの追求という正攻法と、経営の工夫で生き抜いていきたい」

コロナ後も選ばれる店となるため、イカセンターではこれまでほとんどやってこなかったブランディングを強化している。「イカセンターという名前と、都内で活きイカが食べられるというコンセプトが強すぎて、イカ以外の魚もよいということが伝えきれていなかったんです。魚を食べに行く店としての認知が足りてないところに伸びしろがあると思っています」

経営の工夫は、やはりイカセンター版『ウイニングイレブン』が鍵を握る。「経営者って、特に中小企業の場合、自分の会社のことは自分が隅々まで一番よくわかっている気になるんですよ。でも、30店舗もあれば頻繁に見て回れない。全部が全部把握できているとは言えないんですよ。改めて原価と人件費、スタッフのスキルと業績のバランスを見てシミュレーションしたら、きっと意外なところに落とし穴がある。それを知りたいし、それがデータの可視化がもたらす本当の意味だと思っています」

イカセンター版『ウイニングイレブン』が完成したら、確実に他社にも売れる――筆者はそう確信した。

セブン銀行——インシデントは突然に　2人の商品開発者の物語

身に覚えのない送金がある——2013年5月某日、最初に異変に気づいたのは、セブン銀行にアクセス中の顧客だった。「そのとき、私は商品開発部に所属していました。何かとんでもないことが起きていると胸騒ぎがしたことを覚えています」、そう語るのは、セブン銀行の初代CSIRTリーダーで、現在、社内発セキュリティベンチャー・アクシオンの代表取締役を務める安田貴紀(やすだよしき)だ。のちの警察庁の発表で、この年、国内のネットバンクを狙った不正送金は前年の64件から1315件にまで急増、被害額は約14億6000万円に上ったことがわかった。

2001年創業のセブン銀行は、全国約2万5000台のATMに加え、スマートフォンアプリ「Myセブン銀行」や働き方の多様化を金融面でサポートする「リアルタイム振込」など社会変化に応じた金融サービスを展開、口座数は約200万件に上る。同行はもともと非対面取引が中心でシステムへの依存度が高く、セキュリティ意識も決して低くはなかった。しかし、にわかに急増した不正送金に対しては、誰がどう動くのかまだ決まっていなかった。

急きょ対策チームとして白羽の矢が立ったのは、当時商品開発部に所属していた安田とその相棒、西井健二朗だった。2人とも新商品の企画や販路開拓といったマーケティング領域が専門で、セキュリティは素人同然だったが、「被害に遭ったサービスの担当者」が対応に当たることになった。

まず、インターネットで検索すると、どうやら同様の被害がいたるところで起きているらしい。被害に遭った口座に関連するIPアドレスから他の口座へのアクセスが確認できたため、暫定的に口座を停止した。専門家の知恵を借りようと、取引先のセキュリティベンダーを呼んでみた。すると、「被害に遭った顧客のPCを預かることができればデジタルフォレンジックが可能だ」と言われ、顧客からPCを借りるためのルール作りからスタートした。他の銀行にもアドバイスを求めて駆けずり回った。どの銀行の担当者も仕事の手を止め、親身になって話を聞いてくれた。そして、手探りながらも事態は収束を見た。

この経験が、セブン銀行の取り組みを大きく変えるターニングポイントとなった。

「当時、私たちが他行を訪問して驚いたのは、メガバンクをはじめ大きな銀行にはだいたいCSIRTを名乗る方がいらっしゃって、経験をもとに的確なアドバイスをくださいました。でも、この頃の私たちはCSIRTのスペルすら知らず、『シーサート』とカタカナでメモし、後で検索するというところから始まりました」

CSIRTとは、企業組織のセキュリティを監視し、万が一セキュリティ侵害が発生した場合には、その原因や影響範囲の調査、封じ込め、および復旧作業を行うチームのことだ。その CSIRT たちを介し、当時流行していたネットバンクを狙うトロイの木馬型マルウェア「Zeus」「Citadel」などという言葉も飛び交った。だが、これも2人にとっては知らない単語だ。その場で「ゼウス」「シタデル」とメモし、後で調べて理解していった。このあたりから、高い専門知識を要する領域に丸腰で足を踏み入れたことを自覚し始めた。とにかく少しずつ目の前の状況を把握していくしか道はなかった。

セブン銀行のポリスになれ

自分たちは非対面取引の新しい銀行——そう自負していたのに、外に出て初めて痛感した自分たちの遅れ。金融サービスは顧客の信頼なしには成り立たない。商品開発を担う安田と西井にとって、セキュリティの強化は急務となった。

サイバーセキュリティは、テクニカルなイメージが先行するあまり、企業ITの中でも特に敬遠されがちだ。しかし、報道されるさまざまな事案が示す通り、セキュリティ侵害や情報漏えいがビジネスに及ぼす影響は時に甚大だ。金銭的な被害や企業ブランドの毀損にとどまらず、業務停止、顧客対応の増大、人材流出など事業継続に直結するケースもある。

また、得体のしれない「敵」と戦わなければならないのもサイバーセキュリティならではだ。一体誰がサイバー攻撃を仕掛けているのか。サイバー攻撃の歴史を紐解くと、古くは技術に興味のある人間が道を外れ、愉快犯的に行う向きがあった。しかし、近年では、金銭や情報の窃取を目的とした攻撃が主流となり、収益性を追求するある種のビジネスとして組織化するケースも見られる。ハッカー集団、犯罪組織、社会的・政治的な主張を目的としたハクティビスト、国家が組織するサイバー攻撃部隊、そして、ネットで拾った攻撃ソフトウェアで遊んでみた子供たち……敵のスキルやスタンスが多岐にわたる、異種格闘技戦だ。そこに萌え、「三度の飯よりインシデント対応が好き」という人たちもいるが、できればサイバー攻撃などの事件には関わりたくないという人がほとんどだろう。セキュリティ専門外の商品開発担当者となれば尚更だ。

しかし、2人は国内でまだ導入実績がなかった「Trusteer（トラスティア）」というコンピューターウイルスをはじめとするマルウェア検知の仕組みに目をつけ、果敢にも導入を果たした。だが、それらしい仕組みを導入したからといってセキュリティが担保できるわけではない。マルウェア検知後に対応するのは人間なのだから。西井は、安田に一つの提案を投げかけた。「セブン銀行のポリスになれ」

言葉通りの意味以外に、西井には秘めた思いがあった。「今だから言えることですが、僕にとってこれは、山あり谷あり一緒に商品開発をやってきた安田さんのリバイバルプランでした。安田さんは基本的にぶすっとしているんですよ。それで、仕事はできるのに評価されにくい人でした。安田さんにしかできない仕事で周囲を認めさせ、正当に評価されてほしい、そう思って焚き付けたんです」

こうして安田は2014年、入行以来10年間従事した商品開発部を後にし、金融犯罪対策部に異動した。西井とのコンビは解消となった……はずだった。

着弾

2015年6月某日、時刻は朝礼開始直前の8時40分。セブン銀行に1通のメールが届いた。それは、これからサイバー攻撃を始めるという英文の宣戦布告だった。

「30ビットコインを支払わない限り、あなたのすべてのサーバーをDDoS攻撃する。当局への通報をお考えの方はご自由に。でも何の役にも立ちません。私たちは素人ではない。

悪いことはしても、約束は守る」

差出人は、サイバー犯罪組織「DD4BC」を名乗った。意図的に過剰な負荷をかけてサーバーをダウンさせる「DDoS攻撃」を行い、攻撃を止めてほしければ仮想通貨で身代金を支払うよう求める恐喝行為を繰り返していた組織だ。2014年頃から各国で被害が出始め、国内でもセブン銀行を含む約10社が攻撃を受けたとの報道がある。

あいにく朝礼で誰もメールに気づかない。そのまま9時になり、DDoS攻撃が始まった。初めはコールセンターのシステムにアクセスしにくいという声が上がり、一般的なシステム障害が疑われた。システム部員が対応にあたるも、どうやら普通の障害ではないようだ。そのうち、インターネットバンキングに全くアクセスできない状態になっていること、そして、脅迫メールの存在が発覚する。緊急対策会議が招集され、また安田と西井が呼ばれた。

脅迫メールを一読した西井は、自分たちでは手に負えないと直感した。会議はまだ途中にもかかわらず、金融ISACに脅迫メールを転送した。金融ISACとは、国内の金融機関の間でサイバーセキュリティに関する情報共有・分析、及び安全性の向上のための協働活動を行う組織だ。高度化、多様化、拡散するサイバー攻撃に対し、個別組織で全て対応していくのは事実上困難だ。セキュリティは金融機関にとって生命線であり、非競争領域でもある。企業の枠を越えて協力し、皆でサイバー攻撃に対抗していこうというのが金融ISACの設立趣旨だ。

金融ISACに相談してみると、ものの30分ほどで、当時証券会社に勤めていたメンバーが脅迫メールを読み解き、自分たちが今どのようなリスクに晒されているのかが把握できた。この攻撃はいつまで続くのか、それも金融ISACのメンバーたちが、海外の被害事例から調べ上げてくれた。安田は、「次の対応を考えやすくなった」と振り返る。

そうこうしているうちに、「ビットコインを支払わないと再び攻撃する」と2通目の脅迫メールが届いた。2度目の攻撃はあるのか、再度金融ISACのメンバーに相談すると、「海外事例を見る限り、2度目はなさそうだ」と助言をもらった。実際、2度目の攻撃はなかった。包み隠さず情報を共有したら、それ以上の情報を返してくれた。2人は情報共有の重要性を実感し、CSIRT活動に改めて意義を感じるようになったという。

情報共有に関しては、もう少し裏話がある。冒頭で紹介した、不正送金事案に対応したときの話だ。当時、国内でネットバンクを狙った不正送金が急増しているという情報は、同じセブン銀行のATM担当者たちの間では知られていたことだった。社外の勉強会で話題に上ったのだ。しかし、社内でその情報を共有する枠組みがなく、安田たちの耳に入ることはなかった。「あのとき、社内で情報共有がなされていれば、事前に対策をとったり、顧客に指摘される前に気づけたこともあったのではないか」と安田は悔やむ。

こうして、行きがかり上サイバーセキュリティの世界に身を投じた安田と西井だったが、鉄は熱いうちに打てとばかりに、CSIRT（7BK-CSIRT）を創設した。有事に招集されるバーチャル組織ではなく、常設のCSIRTだ。初代リーダーは安田に決定した。システム部ではなく事業部側が社内のCSIRTをリードするというのは業種を問わず異例のことだ。なぜこのような判断に至ったのだろうか。事件発生時、システム部門は目の前の対応に全力を注ぎ、外部との連携は困難となる。顧客を守るための最終判断は事業部側が下し、顧客対応を引き受けることが重要だと考えた。また、他の金融機関とコミュニケーションを取る中で、これからはシステム側だけではなく、商品・サービス側の工夫で一気にリスクを下げられるような設計を考えていく必要があると感じたのだという。

さて、2人がCSIRTについて検索すると、日本シーサート協議会がまとめたスタータ ーキットが見つかった。それを隅から隅まで熟読した。「CSIRTの役割や活動にはこれといった決まりがなく、一つとして同じモデルは存在しない。組織や目的によって百社百様のCSIRTがある」ということが書かれていた。「これなら自分たちで作れる」、2人の商品開発魂に火がついた。

現在、安田は、社内発セキュリティベンチャー「アクシオン」を立ち上げ、代表取締役に就任。西井は、セブン銀行のオープンイノベーションの推進、新規事業の創造を担うセブン・ラボのリーダーを務めている。つまり、セブン銀行のイノベーションをリードするのはセキュリティ経験者ということだ。本項では、安田と西井に、セキュリティの経験がどう生かされているか話を聞く。

商品開発とサイバーセキュリティは似ている

商品開発からサイバーセキュリティ、全く異なる分野への転身で苦労したことはあるかと尋ねると、安田は、「商品開発とセキュリティは似ている」と想定外の返事をくれた。

安田は金融犯罪対策部に異動した当初、「対策部」と名乗りながら、その実、被害が起きた後の事後処理しかできていないことを歯がゆく思っていた。対策と言うからには未然に防げないといけない。強化すべきポイントは、さまざまなサービスの入り口にあると気づいた。口座開設の時点で不正を検知できれば止められる、インターネットバンキングに不正アクセスされたとしてもログイン直後に止めれば送金はされず、実被害は免れる。そんな発想から集積されたログを見ていると、ウェブアクセスログ解析との類似性に気づいた。

「例えば、サイバー攻撃を受けたときのログ分析って、商品開発的な観点で言うウェブアクセスログ解析や、顧客属性分析に近いと思っています。商品開発者は、ロイヤルカスタマーに対して品質の高いサービスを提供するために顧客を多角的に分析していきますが、セキュリティ担当者が攻撃者の行動や属性を分析する作業はそれと非常によく似ているんです。商品開発とセキュリティは、何となく近い存在にあるんじゃないかと個人的には思っています」

例えば、新規口座開設のデータをエリアマーケティングの要領で地図にマッピングすると、特定の地域にかたまっている。統計学で言う標準偏差を使うと、明らかに不自然だとわかる。こういった分析によって、不正口座開設のしっぽをつかむことができるのだ。

海外でも、セキュリティの領域でマーケティングのソリューションが重宝されるケースは多い。Splunk（スプランク）やSAS（サス）、IBM SPSS（アイビーエム エスピーエスエス）などがそうだ。インプットするデータは同じ、求める結果が違うだけ、安田はセキュリティを始めて早い段階からそれに気づいた。

分析のアプローチが似ているだけではなく、「商品開発とサイバーセキュリティは切っても切り離せない」と安田は言う。自社のサービスと顧客をよく理解していたほうが、必然的にセキュリティの打つ手が増えるのだという。例えば、通常の顧客の動きを知っていれば、そこから逸脱する不正行為に気づきやすい。また、そういった不正行為に共通する特徴を捉えられれば、攻撃者とみなして暫定的に対応することもできる。そして現実問題、セキュリティはお金がかかる。そのとき考え得る最高の対策を施したとしてもリスクは常に変化する。トータルコストを削減するためには、守るべきものに優先順位をつける必要がある。ここでも、自社サービスへの深い理解が不可欠だ。

ここまで聞いて、筆者は商品開発とサイバーセキュリティを切り離して質問すること自体、時代遅れだったと気づいた。これまで企業のセキュリティと言えば、サイバー攻撃からの防御やリスクマネジメントという観点で議論されることが多かった。しかし、デジタル技術を駆使した新たなビジネスモデルやサービスを創出する際のセキュリティは、これまでのやや受け身の対策ではなく、よりよいユーザー体験の創出や信頼性向上を実現するための攻めの手段だ。アイデアの段階、もしくはＰｏＣ、サービス設計といった開発の前段階からセキュリティを考慮する「セキュリティ・バイ・デザイン」というアプローチが求められている。

安田にはもう一つ、サイバーセキュリティにおいて商品開発の視点が役に立つことがあるという。「仮想攻撃者のペルソナ（人物像）を作って、これを攻略するにはどうするか、みたいなことはよく頭の中でシミュレーションしていますね」、完全にマーケターの発想だ。

例えば、どこかの企業が標的型攻撃を受けて被害が出ると、詳細に分析されて記事になる。それを読んで、同様の手口で自行を攻撃するとしたら誰を狙い、どうやってメールアドレスを入手するかを考える。新しい不正対策の製品を入れたらその瞬間から、これをどうやって破ろうかと攻撃者になりきって考えるのだという。

このままでは、「コンビニＡＴＭの会社」で終わる

２０１５年の夏、西井はフィンテックミートアップという金融スタートアップコミュニティに出入りし始めた。当時の日本はフィンテック草創期。西井は、オープンイノベーションでスタートアップと連携し、新たな価値を模索しようとしていた。これはセブン銀行の戦略ではない。西井独自の危機感と好奇心が夜な夜なコミュニティに足を向かわせた。

セブン銀行の収益は、９割以上が提携銀行からのＡＴＭ手数料だ。盤石に見える一方で、一つのビジネスモデルに頼ることへの危機感は徐々に強まり、見て見ぬ振りができなくなっていた。キャッシュレス化が進めば、ＡＴＭユーザーの行動は確実に変わる。西井はその前に次の手を打ちたいと考えていた。

西井は、海外で流行し始めたアクセラレータープログラムに目を付けた。大企業や自治体がベンチャーやスタートアップ企業などに出資や支援を行うことで事業共創を目指すものだ。アクセラレーターには加速者という意味がある。新興企業の成長を加速させるという意味合いで使われることが多いが、西井はその逆も然りと考えていた。

「僕が見てきた海外のアクセラレータープログラムは、スタートアップの利点と大企業のアセットを掛け合わせ、相乗効果を生み出すようなものでした。銀行というお堅い事業を営む僕らがスピーディに新規事業を創出するには、スタートアップの力が不可欠だと考えていました」

アクセラレータープログラムの立ち上げに向け、西井は「クルー」というオープンイノベーション支援企業との連携を模索し始めた。クルー自身も２０１２年に創業したばかりのスタートアップだった。当時の日本では大企業とスタートアップの連携が議論され始めたばかり。そう多くの事例があるわけではなかった。西井はどのようにして行内にスタートアップと組むカルチャーを醸成していったのか。「何よりもまず最初にトップのコミットメントを取り付けました。スタートアップの経営者はとにかく熱量がものすごい。スタートアップと大企業のトップ同士を引き合わせてその熱をダイレクトに感じてもらうのが一番早いんです」

クルーは目黒のマンションに小さなオフィスを構えていた。西井は、当時セブン銀行副社長だった舟竹泰昭（現在は代表取締役社長）を連れ、そのマンションに向かった。先進国の中で日本の起業率は最低レベルだと言われている。「チャレンジ後進国を変えたい」、そう熱く語るクルー代表取締役の伊地知天と舟竹はその場で意気投合。「いいね、やろう」、そんなスピード感でアクセラレータープログラムは始まった。

セブン・ラボ、出港

2016年4月、トップの号令もあり、セブン銀行のイノベーションをリードする専門組織「セブン・ラボ」が発足。集まったのは、西井をはじめ多様な経歴を持つ5人のスペシャリストだった。初代リーダーに就任した山本健一は元企画部長で広報歴も長く、社内でよく声の通る人物。松橋正明(まつはしまさあき)はATMの企画・開発に携わってきたIT人材。セブン-イレブン出身でブルーオーシャン開拓が得意な山田智樹(やまだともき)、スタートアップとの連携を推進する西井、そして、彼ら4人を取りまとめる実務家・長沢淳博(ながさわあつひろ)だ。

出自、スキル、興味分野、どれもバラバラの5人。共通点は全員50歳前後であること、そして、誰に許可を取るでもなく自分の意思で行動できるということだ。あまりに自由行動で統制が取れないと悩んだこともあったが、これが結果として多様な人脈とインプットに繋がり、オープンイノベーションの源泉となった。

小銭チャージ機の失敗

セブン・ラボがオープンイノベーションによって初めて開発したプロダクトは、「小銭チャージ機」だった。「小銭って邪魔だよね」という発想に始まり、ATMに小銭をじゃらじゃら投入し、nanacoなどにチャージできるというものだった。その頃オープンイノベーション界隈では、プロトタイプを作ったり、PoCを回したりといった実験的なアプローチが脚光を浴びていた。「とりあえず僕らも一つプロトタイプを作って実際に触ってもらおう」、今思えばそんな軽い気持ちで小銭チャージ機の開発はスタートした。

だが、小銭チャージ機はPoCレベルを脱することなく、わずか2年で姿を消した。原因は、マネタイズ（収益化）モデルが描けなかったことと、詰まりやすい小銭の特性を意識したメンテナンスまで考えられていなかったことにある。

「でも、やはり一番の原因は、『事業にしてやろう』という思いが足りなかったなと。小銭チャージ機は社内に置いておくと『便利だね』って結構使ってもらえるんです。僕もかなり使っていました。でも、マネタイズの難しさを切り拓き、この先10年やっていこうみたいな熱が僕らには足りなかった」

PoCは止めようと思えばすぐに止められる。しかし、人間のすること、そんなにうまく切り替えられるものではない。オープンイノベーションで社内外からたくさんの人が協力してくれたにもかかわらず、PoCで終わってしまった。西井は自責の念でいっぱいだった。

転んでもただでは起きない

小銭チャージ機の失敗から、西井は、PoCが向くケースとそうでないケースがあると学んだ。

次に開発した「リアルタイム振込」は、開発に2億円をかけ、いきなり市場に投入した。
「リアルタイム振込」は、APIを活用して即時に口座振込ができるサービスで、給与の即日払いや立替経費の即日精算を可能にする。働き方の多様化を背景にニーズはあるだろうが、既存顧客がいるサービスではない。勝算は五分五分だった。しかし、蓋を開けてみれば、これがセブン・ラボにとって初の事業化案件となった。

西井は、「金融機関にはPoCが馴染まず、いきなり本番というほうが成功率が高まる」と信じている。経験値に近いその感覚を無理やり言語化すると、「退路を断たれることで、開発側の本気度が全く変わってくる」からだという。

成功率を上げるためにもう一つ重要なのは、どのスタートアップと組むかということだ。西井は、いいと思ったスタートアップにはとことん粘着するという。2020年7月に11・3億円の出資を決めたオンライン決済サービスの「カンム」には、実に4年もの間、水面下でアプローチを続けていた。カンムの若き経営者 八巻渉(やまきわたる)こそ、これからの決済サービスを背負って立つ人物だと信じて疑わなかったからだ。

「スタートアップとの出会いはいろいろです。イベントや交流会で意気投合したり、ピッチ(短いプレゼンテーション)を聴いて何かを感じたり、他社からリファラル(紹介)をもらうこともあります。気になるスタートアップを見つけたら、基本的には最初に経営者やチームを見るかな。実際に話したり、経営者のツイートをひたすら追いかけていると、膨大な知識と熱量に圧倒されることがある。そうなるともう粘着態勢に入りますね」

SNSなしでは、顧客と会話すらできない

発足から5年。現在、セブン・ラボが最も注力しているのはAI、ビッグデータを使った新規事業だ。人材や資金といった多くのリソースをここに傾けている。しかし、西井個人の最大の関心は、SNSを活用した顧客接点の創出にある。2020年には行内の理解を取り付け、公式ツイッターアカウントの運用を開始した。

「デジタルバンクを標榜するみんなの銀行を除き、SNS運用が成功している金融機関はまだありません。セブン銀行もつい最近まで公式アカウントがありませんでした。電話とホームページ以外に顧客接点がなかったんです。しかし今後、最大のチャネルはSNSに移行していくはず。SNSがないと顧客と会話すらできない時代が来ると思っています」

余談だが、セキュリティ事故の現場でも、SNSが重要な顧客接点となる。2019年3月、ノルウェーの大手企業ノルスク・ハイドロがサイバー攻撃を受け、平常業務に戻る

まで3週間を要した。サイバー攻撃の中には、コーポレートサイトにアクセスさせることでマルウェアに感染させるものもある。また最近では、不正確な情報がSNSで拡散され、インシデント対応と並行して被害企業側が火消しに追われるケースも見られる。これらを回避するためにも、コーポレートサイトに替わる複数のコミュニケーション手段を用意し、先手先手で情報を公開していく必要がある。

ノルスク・ハイドロは、自社のフェイスブックアカウント上で異常を公表。さらに記者を招いた質疑応答を複数回実施してウェブキャストで配信し、透明性を担保し続けた。これらの対応は、サイバーセキュリティ専門家を中心に高く評価されている。

2030年には、デジタルネイティブ世代が日本の生産年齢人口の6割を占めるようになる。顧客接点づくりやマーケティング、そして真摯な情報提供による信頼の獲得、さまざまな観点でSNSや動画配信が重要な役割を担っていくはずだ。

評価されにくい男、社長になる

2019年7月、安田にも転機が訪れる。電通国際情報サービス（ISID）との合弁でセキュリティベンチャー「アクシオン」を立ち上げ、代表取締役に就任したのだ。

きっかけは、２０１８年、ＩＳＩＤが本人確認システムを引っ提げ、西井が主宰するアクセラレータープログラムにエントリーしたことだった。法令の変化もあって本人確認システムのニーズは確実に高まると予想された。安田はセブン銀行の経営陣に、「事業化の方向で進めたい」と伝えた。話はトントン拍子に進み、わずか1年足らずでアクシオンの設立に至った。「このスピードで実現できたのは、西井さんをはじめセブン・ラボのメンバーが新規事業に挑戦しやすい土壌を作ってくれていたから」と安田は振り返る。

アクシオンが提供するのは、セブン銀行の金融犯罪対策システムを進化させたセキュリティプラットフォーム。不正アクセスなどの検知や、「ｅＫＹＣ」と呼ばれるオンラインでの本人確認の仕組み、そして、セキュリティコンサルティングサービスだ。

不正検知のソリューションは、セブン銀行時代から磨きをかけてきたものだ。ｅＫＹＣは、非対面取引のニーズの高まりに加え、実際に本人確認の不備を突く事件が発生したことで金融サービス事業者を中心に引き合いが増えている。また、セキュリティコンサルティングに関しては企業のセキュリティ担当者からの相談が後を絶たない。「まるで以前の私たちを見ているようです。私たちの場合、目の前の事案をどう解決するかというところからのスタートでしたが、今は『世の中たくさん事件が起きているけれど、まず何から対策を始めればいいのか』で悩んでいる企業が多いですね」

２０２１年1月末には、フィッシングサイト検知サービスのベータ版提供を開始した。インターネットバンキングやＥＣサイトなど、サービスのオンライン化が進む一方で、ユーザーの認証情報を盗み、不正取引を行うフィッシング詐欺が横行している。フィッシングサイトは事前の対策が難しいのが実情だ。事業者側は、被害に遭った顧客から連絡があるまでフィッシングサイトの存在すら気づかないケースも多い。そこでアクシオンは、フィッシングサイトの出現を迅速に検出し、事業者側に通知するサービスを開発している。

開発をリードするのは、元ジャパンネット銀行 CSIRT の小澤一仁（おざわかずひと）。小澤は、セブン銀行が DD4BC による DDoS 攻撃を受けた際、大規模 DDoS 攻撃に対応した経験者として安田に助言をくれた１人だ。「今年の初夢で、小澤さんと国産初のフィッシングサイトテイクダウンサービスを作る夢を見たんです」、そう語る安田は、もうかつてのような「評価されにくい男」ではなかった。

セキュリティとオープンイノベーションの交差点

最後に、現在は新規事業やイノベーションの世界に身を置く西井に、セキュリティの経験がどう生かされているかを聞いた。

西井は、「普段そんなこと考えないからなぁ」と頭を抱えながら、「リスペクト」「エコシステム」「ギブ・ファースト」という言葉を紡ぎ出してくれた。

セキュリティ担当者は、専門性が高いために近寄りがたく見えることも多い。だが、実際に彼らに接すると、その仕事ぶりや使命感に尊敬を禁じえない。スタートアップに対しても同じことが言える。相手のカルチャーを理解し、「リスペクト」することで、大企業とスタートアップの関係はよりよいものになる。また、企業の枠を越えて「エコシステム」を形成し、「ギブ・ファースト」の姿勢を貫くことは、他行のCSIRTや金融ISACに助けられて学んだことだ。

「サイバー攻撃を受け、藁をもつかむ思いで内部の情報を提供したら、それ以上のものが返ってきた。その経験があるから、今もスタートアップに対して僕らから積極的に手の内を明かしています。リスペクトがあれば情報は出せる。それがセキュリティとオープンイノベーションの共通点です」

2人の物語は、さらに多くの登場人物を巻き込みながら続いていく。

特別取材③　喜多羅滋夫

私が即席麵の発想にたどり着くには、48年間の人生が必要だった——日清食品の創業者安藤百福はそんな言葉を残したという。人生は地続きで、経験すべてが見えない糸で今日に繫がっている。スティーブ・ジョブズがスタンフォード大学の卒業式に寄せた伝説のスピーチ「コネクティング・ザ・ドッツ」にも共通する発明家のメンタリティ。人生に取り返しのつかない失敗や、まして無駄なことなんてない。人は自分がやってきたことで彩られ、いつか何らかの形で生かされる。そう偉人たちは教えてくれている。

しかし、そんな頭での理解とは裏腹に、目の前の仕事に忙殺され、ギリギリのスケジュールでこなす日々。午前0時を回って全速力で終電に飛び乗り、コンビニ弁当を掻き込んで寝る。どうして1日1日を大切にできないのだろう。会社の看板がなくなったら自分に何が残る？　肩書がなくなったら仕事もない、薄っぺらな人間なのではないか。言い知れぬ恐怖を覚えるのは、中途半端な若さゆえか、それとも口に出さないだけで、誰もが皆同じなのだろうか。

筆者はフリーランスになりたくてなったわけではない。ウェブメディアに新卒入社して

10年、取材などを通して素晴らしい人に出会うたび、対等に会話できないことがコンプレックスになっていった。世間知らずのままこの仕事を続けるのが苦しくて、半ば衝動的に会社を飛び出した。

次に勤めたスタートアップは20日で辞めたが、迷いはなかった。それは、ある人に背中を押してもらったから。当時、日清食品ホールディングスのCIOを務めていた喜多羅滋夫だ。日清食品グループといえば、「チキンラーメン」や「カップヌードル」といった定番に加え、遊び心のある新商品や斬新な表現のテレビCMでお茶の間に話題を振りまいてきた。コロナ禍もステイホーム需要に応え、2020年度の連結決算では過去最高売上、最高利益を更新。2020年6月には時価総額1兆円超を記録した。

2020年8月には、デジタル技術を活用してビジネスモデルや業務、組織を抜本的に変革し、競争力に繋げているとして「DX銘柄 2020」に選出された（経済産業省と東京証券取引所によって同社を含む35社が選ばれた）。変革を指揮してきたのが、2013年にCIOに就任した喜多羅だ。本項では、喜多羅のこれまでの取り組みとともに、CIOのあり方や、チームを鼓舞するリーダーシップについて考えてみたい。

デジタルを武装せよ

日清食品グループは、2013年に喜多羅が初代CIOに就任すると、ERP（統合基幹業務システム）をはじめ、レガシーシステムの刷新に着手した。2015年にはSAPのERPを導入し、2017年には40年使い続けたメインフレームを撤廃。2019年にはオンプレミスだったSAPの基盤をクラウドに移行した。

並行して、2019年からは「DIGITIZE YOUR ARMS（デジタルを武装せよ）」をスローガンに、テレワーク環境を整えていった。もともと東京オリンピック・パラリンピック期間中の出社制限に照準を合わせた取り組みだったが、これが新型コロナウイルス対策として機能した。日清食品グループは、緊急事態宣言を機に国内約3000人が原則在宅勤務となったが、大きな混乱もなくスムーズに移行できたという。

順風満帆に見えるが、喜多羅の言葉からは茨の道であったことが感じられる。「8年前、私たちはごく普通の情報システム部門でした。自分が担当するシステムの運用知識こそあったものの、自社のビジネスを深く理解しているわけでもなく、2週間を超えるプロジェクトの経験もなかった。テクニカルスキルも総じて皆、中途半端だったんです」

情シスはなぜ、面倒くさい人たちになってしまうのか

喜多羅がＣＩＯに就任した当初、情報システム部門は大きな課題を抱えていた。きっかけは、２００８年に日清食品が持株会社制に移行し、情報システム部門がシェアードサービス会社（日清食品ビジネスサポート）として切り離されたことにある。当時はこれが世間的にもよくある組織体制で、実際うまく回っていた。だが徐々に「私たちは本体の人間じゃないし」という妙な劣等感が広がっていった。

「話をするのも面倒くさい部署だったんですよね、情シスって」、当時を知るユーザー部門の社員はこう証言する。元情報システム部員の筆者には、言いたいことが痛いほどわかる。

専門知識のない筆者が、なぜ情報システム部にアサインされたのかというと、「営業出身でまあまあ人当たりもよく、業務部門も話しかけやすいだろう」という目算があったからだそうだ。得てして情報システム部門は近寄りがたく、相談しにくい相手になりがちだ。話が通じないとか、業務理解が乏しいとか言われるが、特に本体から切り離されてしまうと、その相談に至るまでの複雑な事情が読み切れず、正論ではあるのだが業務部門が期待しているのとは違う対応で返してしまうことがある。それが、頭の固い情シス、融通が利

かない情シスというイメージを助長する。そうなると情シスの正論は、やりたくない言い訳にしか聞こえない。「現場のことをわかろうとしない」「口だけ挟んで助けてくれない」「会社を一歩出たらそこまでの専門性もないくせに偉そうにするなよ」……いまだ根強くささやかれる「情シス不要論」の根底には、そんな気持ちのすれ違いがあるように思う。

180超のシステム　疲弊する情報システム部門

加えて、日清食品グループでは、システムの多さと属人的な運用が情報システム部門の疲弊ぶりに拍車をかけていた。稼働中のシステムは180を超え、バックアップ体制なしで1人につき6~7つのシステムを掛け持ちしていた。「システムの保守があるから帰れない」「いつトラブルがあるかわからないから休めない」といった具合に、長時間労働の温床になっていた。

2018年に経済産業省が発表した『DXレポート』(18ページに詳述)では、既存システムが老朽化・複雑化・ブラックボックス化する中では、新しいデジタル技術を導入しても、データの利用・連携に制約が生じ、大きな成果は望めないと指摘されている。解決策はシステム刷新だけにとどまらない。レガシーシステムは、その組織で培われてきたビジネスプロセスと密接に繋がっているケースが多く、ビジネスプロセスそのものにメスを入れる必要がある。これを断行すれば、これまでのやり方に慣れた現場サイドからの抵抗にも遭うだろう。しかし、これらの問題を解消しない限り、新規ビジネスの創出やビジネスモデルの変革は限定的なものとなる。

やっかいなことに、企業は自身がレガシーシステム問題の当事者であることになかなか気づかない。システムがいつも通り稼働している間は気にもとめず、限界がきて初めて自覚する。自覚したとしても、システム刷新には二の足を踏むケースが多い。プロジェクトは往々にして長期化し、莫大な費用がかかる上、作業のやり直しなどのリスクもあるからだ。以下は、システム刷新に必要なコスト等の例だ。

［システム刷新に要するコスト等の例］

○事例①（運輸業）

7年間で約800億円をかけて、50年ぶりに基幹システムを刷新し、運用コストの効率化・生産性の向上につなげる。

○事例②（食品業）

8年間で約300億円をかけて、30年以上利用していたシステムを刷新し、共通システム基盤を構築。

○事例③（保険業）

約25年経過した基幹系システムを、経営陣のプロジェクトのもとで、4～5年で約700億円をかけて、ITシステム刷新を断行。

引用：『DXレポート～ITシステム「2025年の崖」の克服とDXの本格的な展開～』

さらに、これだけの時間とコストをかけても、組織全体の収益にインパクトを与えられるとは限らない。下手すると「莫大なお金をかけて情報システム部の仕事が楽になったらしい」程度の認識で終わることもある。同レポートは、「レガシーシステムの課題を克服できず、DXが進まなければ、2025年以降、最大で年間12兆円の経済損失が生じる可能性がある」と警告しているが、自分たちの投資対効果が見えない限り、どんな警告も対岸の火事となりがちだ。

幸い、日清食品グループは世界に通じる革新的な会社だ。経営層には、「変化できなければ生き残れない」という危機感が常にある。グローバルな舞台で戦い続けるなら、今の武器では勝負にならない。システム刷新に異論を唱える者は1人もいなかった。とはいえ、プロジェクトを担う当人たちは、レガシーシステムのお守りで疲弊するごくごく普通の情報システム部門。喜多羅の「情シス改革」が始まった。

情シス改革①:ミッションを定める

喜多羅が最初に着手したのは、情報システム部門が果たすべきミッションを決め、全員で共有することだ。喜多羅は、「目に見える販売伸長、利益向上に貢献する競争力のある情報プラットフォームの構築」を掲げ、これを実現するための戦略として「グローバル化」「標準化」「事業成果の追求」の三つを設定した。

ここで参考にしたのは、喜多羅の古巣であるP&Gのサービス部門が掲げた行動規範「P&G's Global Business Services−Transforming the way business is done」だ。これには、コスト削減やシステム標準化についても具体的な数値目標やロードマップが示されていた。他のグローバル企業の行動規範も見たが、喜多羅にはどこか綺麗事な感じがしたという。「最終的には、上辺の理解だけではなく、実感を込めて自分の言葉で伝えられそうなP&Gのモデルを参考にしました」

現場は、掲げられたミッションと現状とのギャップに戸惑っていた。だが喜多羅は、「まずはこれでやってみよう」と全員の前に旗を立てた。

情シス改革②：情報システム部員の基礎スキルの向上

次に取り掛かったのは、情報システム部門に必要な基礎スキルを定義し、皆でレベルを引き上げていくことだ。基礎スキルは大きく二つ、プロジェクトマネジメントとサービスマネジメントだ。

当時の情報システム部門にとって、プロジェクトマネジメントの体得は急務だった。今からシステム刷新という壮大なプロジェクトに挑もうというのに、2週間を超えるプロジェクトの経験がほぼ皆無だったのだ。週末、主任級以上全員が集まって社外講師によるトレーニングを重ねていった。

もう一方のサービスマネジメントとは、社内システムの改善やヘルプデスク業務を通し、ユーザーの使い勝手や満足度を上げていく取り組みだ。サービスマネジメントには、「ＩＴＩＬ（アイティル）」と呼ばれるベストプラクティスをまとめた教科書のようなものが存在する。これをほぼ全員が体系的に学び、社内独自のやり方から、外の世界でも通用するやり方に変えていった。こういった取り組みは、現在も継続されている。

情シス改革③：トレーニングの学びを実務に取り込む

トレーニングは終わった瞬間がピークで、知識もやる気も徐々に薄れていくものだ。喜多羅は、トレーニングの学びを実務に取り込ませることを意識した。

例えば、プロジェクトマネジメントに関しては、成果物、ビジネスへの貢献、コスト、スケジュール、リスクとそれに対する対処法といった情報を毎回整理して共有させた。「教育は自分がやる」と決め、プロジェクト計画書の作成にあたっては喜多羅が徹底的に添削した。さらにマネジメント層の関心を押さえた報告を意識させることで、彼らと円滑にコミュニケーションする術も身につけていった。

情シス改革④：「ラーメン売ってナンボ」な人を増やす

「面倒くさい人たちの集まり」と社員から距離を置かれがちな情報システム部門を変えるべく、人材採用にもこだわった。

「私の関心は、システムをどう作るかではなく、端的に言えばラーメンをどれだけ売るかです。そのために自分のスキルや経験をどう生かすかを常に考えてきました。本業で成果を出してナンボなんです。そういう観点で実績のある人を採用していきました」

現実問題として、外部パートナーから腕利きのエンジニアが加わったとしても、日清食品グループの業務を隅々まで理解するのに3カ月から半年はかかる。まずは情報システム部門が問題を理解し、必要に応じて外部パートナーの協力を仰ぐといったように主体性を取り戻す必要がある。

情シス改革⑤:仕事を離れ、街へ出よ

さらに大切なことは、外の世界に出ていくことだ。多くの企業の情シスが目の前の仕事に忙殺され、社内に閉じこもりがちだ。しかし、仕事の延長線上にある発想だけでは会社を変えることはできない。手のひらのテクノロジーは、社内システムの更新をはるかに超えるスピードで日々進化しているからだ。例えば、認証の仕方一つとっても、社内システムは未だパスワード認証なのに対し、スマホはサクッと生体認証で瞬間的に済んでしまう。世間で話題のアプリやサービスを使ってみようともせず、「こんなのはお遊びだ」と決めつけて軽んじるのは避けたい。好奇心は大事な生命線だ。

また、喜多羅は、コープさっぽろで活躍する長谷川秀樹、フジテックCIOの友岡賢二とともに「武闘派CIO」を名乗ったり、ときにはチキンラーメンのキャラクター「ひよこちゃん」に扮してさまざまなコミュニティに顔を出した。互いに尊敬し、刺激し合える仲間がいることは、間違いなく喜多羅の原動力になっている。部下にもそういう仲間を持ってほしい。喜多羅は、ひよこちゃんの着ぐるみの中で汗だくになりながらそう思っていた。

面倒くさい人たちが変わった

システム刷新に着手して2年、180もあったシステムは8割ほど削減され、38に集約された。また、AWSやOffice 365などのクラウドを活用することで、サーバーの数は前年比で37％削減された。成果は目に見えて表れた。システムにかかわるコストの削減はもちろんだが、属人的な運用が大幅に削減されたことで、情報システム部門の長時間労働はほぼ解消され、有給取得率も45％向上した。喜多羅は、「ようやくイノベーションのスタートラインに立てた気がした」と振り返る。

「面倒くさい人たち」と言われた情報システム部門の面々も少しずつ変わり始めた。日清食品一筋二十余年、これまでプロジェクトマネジメントに携わることなど皆無だった係長は、喜多羅からダメ出しを受けつつも、仕事環境をがらりと刷新するOSの移行という仕事をやり遂げた。その結果、2017年にレガシーシステム終了プロジェクトでIT総合賞（公益社団法人企業情報化協会がITを活用した経営革新に顕著な努力を払い優れた成果を上げたと認めうる企業・団体に対し授与している賞で、IT総合賞は最上位に位置づけられている）を受賞する立役者となった。

システムインテグレーターから転職して10年のもう1人の係長は、プロジェクトマネジメント未経験だった。しかし、子会社のプロジェクトマネージャーにアサインされ、こちらもまた報告のたびに喜多羅の千本ノックを受けつつ、力をつけていった。ERPの導入ではリーダー的役割を果たし、一大プロジェクトをやり遂げた。

始めのうちは、喜多羅と折り合いの悪いメンバーもいた。「結構チャンチャンバラバラやりましたけど、その人の得意分野に関する知見には尊敬できるものがあって、どうしたら問題を解決できるか一緒に考えようと歩み寄っていきました。当たり前のことかもしれませんが、『あなたがいてくれてすごく助かった』という気持ちを心にしまっておかず、言葉にすること。雨降って地固まるとはよく言いますが、それによってお互い仕事がしやすくなったというのはありますね」

キャリアは椅子、3本以上脚があって初めて自立する

「人が変わっていくのを見るのは面白い」と喜多羅は言う。「周囲からそんなに期待されていなかった人が、ある日すごいことを成し遂げたりする。それに立ち会えるのがマネージャーとして一番嬉しい瞬間ですね」

そんな瞬間は、つい最近もあったという。あるメンバーは、子育ての真っ最中。プライベートとの兼ね合いで、書類整理やサポート業務に回ることが多かった。しかし、テレワークの全社導入に向け、先行して在宅勤務を試し、結果を役員にプレゼンテーションするというニーズが生まれると、喜多羅は彼女をアサインした。

「正直、最初はプレゼンになっていなかった。でも、これは誰に伝えたいの？　何を理解してもらい、どうサポートしてほしいの？　みたいなことを2回キャッチボールしたら、3回目には背筋に電流が走るくらい素晴らしいプレゼンに仕上がっていて、あぁ、すごいなって。やり遂げたいという思いがある人は、少しサポートするだけで伸びていくんですね。その芽を摘んでしまわないようにといつも考えてきたのですが、部下の成長を目の当

たりにすると、改めて、私自身すごく学ばされているなと感じます」

喜多羅自身は、自らの成長についてどう考えてきたのだろうか。喜多羅はP&G時代、30歳でインドネシアに赴任した。当時の喜多羅はアプリ関連の仕事が多く、ITインフラの経験はほとんどなかった。しかし、どこでどう間違えたのか、着任後にITインフラのプロとして呼ばれたことを知った。「実際、ITインフラは詳しくないし、そこまで関心もなかった。この人事はやはり大失敗だったみたいで、タイ人の上司から『お前これできてへんやん、ちゃんとやれや』って毎日のように発破をかけられていました」

だが、その上司の言葉が、喜多羅のキャリアに大きな影響を与えることになる。「『喜多羅さん、椅子は1本脚では立てない、2本脚でもフラフラする。でも、3本以上脚があれば地面にしっかり立ってやっていける。上にいろいろ物も乗せやすくなる。そんなふうにキャリアを考えていくべきです』、そう彼は言いました。アプリだけでなくITインフラもちゃんとやれやという文脈で言われたのですが、その通りだなと。だからもう本当に、その上司には感謝しかありません」

「日清食品」の看板が外れても食べていけるように

この「椅子の話」は、部下にもよくするという。「外の世界でも戦っていけるだけのスキルを身につけていこうと。要は、いつか卒業して『日清食品』という看板が外れても仕事ができる人になろうということです」

思い描くキャリアは人それぞれ。最終的には本人が納得してやる気にならないと磨かれない。喜多羅は、「私にできるのは本人のやる気に火をつけることくらい」という。

筆者自身、喜多羅に火をつけられた経験がある。とにかく自分のやることなすこと自信がなかった筆者は、10年働いたメディアを辞め、フリーランスとして記者やイベントの企画を続けながら兼業OKのスタートアップに転職した。周りは優秀で上昇志向が強く、成長にはうってつけの環境だった。しかし、ここで筆者は気づいてしまった。もともと低い鼻を平らになるまでへし折られ、さんざん苦しんだくせに、それでもメディアの仕事が好きなのだと。少し距離を置くことで本当の気持ちに気づくなんて陳腐なラブストーリーのようだが、当の本人にはちょっとした悲劇だ。会社を辞めたい……そんな思いを抱えながら、大阪のイベント会場に向かった。ちょうど筆者が企画したイベントで、喜多羅に講演をお願いしていた。「転職して1カ月も経っていませんが、会社を辞めたいと思っています」、控室で筆者がそうこぼすと、喜多羅は最初の転職で失敗し、無職になったときのことを話してくれた。

子持ちのプータロー

P&Gで海外赴任も経験した30代半ば、喜多羅は情報システムを離れ、マーケティングに携わりたいと思い始めていた。そんなとき、「ぜひお任せしたい」という会社に出会った。この2社目の存在は、喜多羅の経歴の中であまり公になってはいない。家族を説得して東京に引っ越しまでしたのに、わずか2カ月で辞めることになってしまったのだ。

会社は乗りに乗っていて新規事業が次々と立ち上がり、昼夜休日を問わず迅速な対応を迫られた。稟議にハンコをもらうための役員会議は23時からスタートし、日付をまたぐのは日常茶飯事。午前2時頃やっとの思いで帰宅して、翌朝も定時には自席につく。上下関係もはっきりしていて何をするにもお伺いを立てなければならない。絵に描いたようなブラック企業だった。2カ月もすると、傍から見てもわかるくらい心身ともにボロボロになっていた。「妻が察して、『最近仕事忙しい?』と聞いてきたんです。正直に話したら、『辞めちゃいなよ』と」

喜多羅は、次も決めずに会社を辞めた。しばらくはプータローで、息子と一緒に日がな一日、駅で新幹線を眺めて過ごすこともあった。そのまま吸い込まれるように新幹線に乗り込み、仙台まで行ってしまったことも。家族や同僚、大切な人たちに迷惑をかけてしまった、そんな思いが募り、苦しかった。「今だから言えることですが、あのときどん底を見ておいてよかったと思うこともあります。当然、修羅場の真っ只中にいる人はそんなこと微塵も考えられないと思いますが、いつかきっとその経験が生きる場面に出くわして、誰かの心の支えになれることだってあるかもしれない。スティーブ・ジョブズの『コネクティング・ザ・ドッツ』みたいにね」

こうして筆者も会社を辞めた。決して直接的な表現はしないのに、喜多羅は火をつけるのが本当にうまい。

コーセー――逆境で、人は輝く

「売上は厳しいです。でも、暗い雰囲気は全くありません。お客様に直接メークを施す接客ができないなら、別の形でお客様に届ける方法を考える。前向きに突き進んでいます」、そう語るのは、15年にわたってコーセーのIT化を牽引し、現在、研究所長を務める小椋敦子だ。

コロナ禍の今、美容業界は厳しい状況にさらされている。大手のコーセーも例外ではない。2021年3月期（2020年4月1日〜2021年3月31日）の売上高は前年同期比14・7％減、営業利益は67％減と減収減益だった。特に顕著だったのはインバウンド売上高。前年同期から147億円近く減少し、23億円に終わった。

一方で、ECは好調だ。2020年は、国内のECサイト「Maison KOSE（メゾンコーセー）」に加え、中国、欧米もECが伸長。中でも中国のEC売上が前年比45・7％増を記録している。経済産業省によれば、2019年の化粧品・医薬品の市場規模は6611億円。そのうちEC化率は他業界に比べて低く、6％に留まっていた。ドラッグストアで買える低価格商品の人気や、高価な化粧品は美容部員に相談して選びたいというニーズが

EC利用率にも影響していたと考えられる。ところが、2021年1月、美容メディア『mira（ミラ）』の調査によれば、コロナ禍で42・7%が「化粧品の購入方法が変わった」と回答。そのうち81・6%は「ECサイトで購入する」と回答した。

ECの可能性は売上だけに留まらない。ここ数年、化粧品の購買行動は急激に変化していた。ユーザーはネットやSNSで積極的に情報収集し、使ってみてはレビューし合う。人によって合うメイク、合わないメイクがあり、だからこそ探究は止まらない。店頭での美容部員によるメイク相談が難しい今、コーセーのビューティーコンサルタント（美容部員、以下BC）は、「STAFF START」という仕組みを使い、SNSとECの合わせ技で商品の魅力やメイクの知識を伝えている。自分の投稿がきっかけでどれくらい購入されたのか可視化されるこの仕組みは、BCのモチベーションを高め、売上にも好影響を及ぼすと言われている。セブン銀行の項で、「SNSがないと顧客と会話すらできない」という言葉やその背景に触れた。コーセーでは、BCがSNSに活路を見いだしている。

見えないものをデータに

コーセーがEC展開を本格化させたのは2018年。小椋率いるIT部門とデジタルマーケティング部門がタッグを組んだＤＸプロジェクトの一環だ。ブランドが確立しているコーセーでも、ＥＣ化すれば自然と売上が伸びるというわけではない。ネット上にＥＣサイトはごまんとある。新規顧客は取り合いで、いかにリピーターを増やすかが焦点となる。コーセーは、戦略的なマーケティング展開を見据え、ＣＲＭ（Customer Relationship Management 顧客情報管理）システムの整備に乗り出した。コーセーのＥＣ顧客に個別のユーザーＩＤを付与し、属性や購買履歴などを管理する。

しかし、プロジェクトメンバーの進藤広輔（しんどうこうすけ）は、「当初はＤＸできる状態になかった」と振り返る。

ＤＸには、大きく2つのステップがあると言われている。デジタイゼーションとデジタライゼーションだ。デジタイゼーションとは、デジタル技術によって業務効率化やコスト削減を実現することを指す。デジタライゼーションは、デジタル技術によって自社のビジネスモデルを変革し、新たな価値や顧客体験を創出することだ。目指すＤＸは、デジタライゼーションの先にある。つまり、一足飛びにＤＸはできない。進藤は、「まずはデジタイゼーション。物事をきちんと数字で追えるようにしましょう。データ化されていないものはデータ化し、それを蓄積するところから始めましょう」と呼びかけた。

データ化されていないものの代表格は、一人ひとりが持つ知識や経験だ。例えば販促売り場では、顧客の服装やパーソナルカラー、なりたいイメージなど、複数の要素を掛け合わせて特定の商品を薦めている。だが、この算出ロジックが売場を横断して展開されることはなかった。進藤は、売り方の工夫を仕組み化することにした。顧客の情報に加え、商品企画者の思いまでも数値化し、方程式を作り上げることで、誰でも一定レベルの販促が可能となり、数字をいじれば事前にある程度結果も見通せるようになった。「化粧品に限らず、どのメーカーでも販促ロジックはあると思いますが、それがきちんと整備され、社内展開されているか否かが精度やスピードの差となって現れていると思います」

だが、こうも仕組み化されてしまうと、個人の工夫や差別化が難しくなるのではないか。それって楽しいのだろうか。進藤は、「気づきやすくなること」が大きなポイントだと語る。「個人の感性や感覚に頼ればユニークなものが出来上がるかもしれません。でも、周囲はもちろん本人でさえも、それ以上の気づきが得られないんですよね。ところが、方程式化すると、自分で操作できるようになります。1だった場合どうなるのか、2だった場合どうなるのか試す機会が増え、いろいろなことに気づきやすくなるんです」

仕組み化がクリエイティビティをもたらすとは、筆者にとっても新たな気づきだった。

「人間って自分が知らなかった世界が見えると一瞬で顔がパッと明るくなるんです。それがだんだん周囲にも広がっていくのが今の僕の理想です」、進藤はそう言って目を輝かせた。人間の美しさは内面から滲み出るもので、メイクはそれを引き立たせるための手段に過ぎないのだとすれば、進藤のアプローチこそ本質に近いのかもしれない。

サプライチェーン改革

コーセーは今、サプライチェーン改革に挑んでいる。マーケティングのDXを真の顧客価値に繋げるには、原材料の調達から製造、在庫管理、配送、販売、消費までのサプライチェーンをよりスムーズにする仕組みが必要だ。CRMによって購買行動が可視化されれば、自ずとこの課題に行き当たる。バックヤードの完全な自動化・標準化はこれまで手をつけていなかった領域だが、「早急に成果を出したい」と進藤は意気込む。

サプライチェーン改革のキーワードは「リアル」。まずは、何が何個調達され、そのうち何個が製造工程に入り、物流に乗って店舗に渡り、何個売れたか、川上から川下までの状況を全てリアル（あるがまま）に可視化することを目指す。その先に描く理想は、見えてきたものに対し、グローバルでリアル（現実的）に施策が打てる状態だ。これが今後の経営指標そのものになる可能性は高い。

課題は、これを成し遂げる人材面の強化だ。コープさっぽろの項でも触れたが、「リアル」が加わることで開発・運用の難易度は格段に上がる。コーセーでは中途採用に加え、昨年度からはＩＴ総合職の採用もスタートするなど、ＩＴ人材の採用は活発化しているものの、十分な人数を集められているわけではない。しかし、小椋は手応えを感じている。

「初めは少人数でも、組織の中にチャレンジの核となる人材がいれば、周囲もどんどん改革マインドを持つようになるんです。進藤はＤＸの核ですし、サプライチェーンにも核となる人材がいます」

核となる人材、それは小椋自身のことでもある。聞けば、２０２０年、進藤がＡＷＳからコーセーに転職を決めたのは、小椋の熱い思いに心を動かされてのことだという。

ＩＴ部門は最高の業務コンサルになれる

小椋は学生時代から化学の実験に明け暮れ、念願叶って研究職でコーセーに入社した。しかし、２年足らずで研究所を離れることになる。

バブル真っ只中の当時、コーセーは百貨店での展開に苦戦を強いられていた。小椋は、百貨店で戦える新ブランドの立ち上げに抜擢された。皮膚科学の発想に立った商品コンセプトから研究員としての知識が買われ、白羽の矢が立ったのだ。「やります」と応えた。社運を懸けたプロジェクトに参加できることが嬉しかった。異動を嫌がると思っていた上司は驚いたようだ。小椋はこう振り返る。「このプロジェクトで、研究員として商品を生み出し、販売戦略を考え、最終的には店頭に立ってお客様に販売するという全てを経験できました。このときのリアルな感覚が、今も私の考え方の根底にあります」

最大の気づきは、一つの商品に込められた開発者の思い、その成分を選んだ理由、ユーザーが得られる効果といった情報を、研究段階からユーザーの手に届くまで曲げずに伝えていくことの重要性だ。つまり、プロジェクトに関わる全員がビジョンを共有し、協力し合うこと。「バトンリレーだと思いが曲がっていく」、小椋はそう表現する。バトンリレーは、一つのプロジェクトがセクションごとで分断されてしまうことの比喩だ。走者は自分の区間を全力疾走し、バトンを渡した瞬間お役御免、走るのを止めてしまう。そうではなく、ラグビーのように「ONE TEAM」でゴールに向かうことが重要だと実感したのだ。

小椋はその後、結婚、出産を経て研究所のＩＴ担当として復帰した。食わず嫌いだったＩＴ。いざやってみるとのめりこんだ。「私も研究員だったので、どういうプロセスを踏めば自動化、標準化ができるのか自分事としてわかっていました。今や全ての業務はシステムの上で動いている。ＩＴ担当が業務プロセスを理解してシステムを構築すれば、業務全体の流れを改善できると気づいたんです」。これが、小椋がその後も内製化にこだわり続けた原体験だ。

２００７年にＩＴ部門に異動すると衝撃を受けた。システム開発のほぼ全てをＩＴベンダーに外注していたのだ。「大掛かりなシステム刷新はもちろん、ちょっとした修正も外注で、かなりの時間とコストがかかっていました。何よりも、業務理解のない外部の人に任せっきりで本当に望むものができるのかという思いが強くありました」

ＩＴ部門は小椋を中心に内製化へシフトし、２０１１年頃にはシステム改修やハードウエアの運用管理を自分たちでできるまでに成長。２０１２年には、当時まだ大企業での導入が少なかったＡＷＳを採用するなど、社外からも一目置かれる存在となった。当時、ローソンのＩＴ部門にいた進藤との情報交換が始まったのもこの頃だ。「ベンダーが使い物にならないと言う前に自分たちでやろう」と主張する進藤と小椋は、出会うべくして出会ったのかもしれない。

「ママは仕事頑張れよ、俺も保育園で頑張るからさ」

ところで、小椋が研究所のIT担当として復帰し、ゼロからのスタートを切ったのは社内に育児休業制度がない時代だった。小椋の強さの秘密を知りたくなる。

「自分がコントロールできないことでクヨクヨ悩んでも仕方がない。他人に評価を委ねるのではなく、『絶対評価を上げていこう』と考えていました」

小椋は、自分がどこまで成長したか、どこまでやり遂げられたかを軸に突き進んできた。この考えに至るきっかけは、同期が順調にキャリアを積む中、一人取り残されたように感じた経験だという。子供が熱を出すたびに保育園から呼び出されては欠勤扱い。周囲は小椋を気づかい、重要な仕事を任せなくなった。

「毎朝やっとの思いで出社しても仕事がないんです。でも、仕事がないなら自分が課題に思うことをやればいいと思ったんです」。小椋は現場のちょっとした不便さを解消するシステムを作り始めた。結果としてそれが自身のスキルアップと研究所の内製化に繋がった。

「チャンスはきっと万人に巡ってくるんです。でも、分かりやすい形で目の前にやってくるとは限らない。それがチャンスだと気づき、生かせるかどうかは自分次第です」

ある夜、トラブルが発生し、幼い子供を連れて慌てて会社に戻った。「そのとき、ママは頑張って仕事してるんだって、息子がすごく理解してくれたんです。それ以来、『ママは仕事頑張れよ、俺も保育園で頑張るからさ』なんて言ってくれるようになりました。大雑把でいろんなものがこぼれてますけど、本質的なところでちゃんと繋がっていれば、楽しく暮らせるんだなって思います」

IT部門と業務部門の一番いい関係

15年かけて地道にIT部門の存在感を高めていった小椋は、2021年春、所長として研究所に戻った。小椋の思いを引き継いだ進藤は今、組織変革に取り組んでいる。「IT部門とか業務部門とか、組織が分かれている必要はないと思うんです。自分はシステム屋だとか営業だとか役割を限定せず、多様なスキルを持った人材がONE TEAMで何でもやる。ジョブディスクリプション（職務記述書）があれば管理はしやすいですが、その管理って、お客様のためになってますか？」

一方、進藤の理想を体現するチームも現れ始めている。例えば、化粧品が大好きで入社したある若手社員。配属先はIT部門だが、彼女が中心となって販売企画やBCの動き、商品の謳い文句まで考えている。逆に事業部側からも「こんなふうにシステムを使いたい」と声が上がり、前向きな提案が飛び交っているという。「お客様に最高のサービスを届け、自分たちも最高の体験ができる。それが理想のチームだと思うんです」

転職やコミュニティを通じて幅広い人脈を築いてきた進藤は、社内外の人材を繋ぐ役割も買って出ている。「朝日新聞の広報とうちの広報を引き合わせたり、花王のＩＴ部門とうちのＩＴ部門を引き合わせたり、ローソンの店舗開発部とうちの事業部を引き合わせたり、先進的な外資系企業のオフィスを訪問させてもらったり。みんな興奮して帰ってくるんですよ。自分より上だと思ってビビって行くじゃないですか。話してみると似たようなことで悩んでいて、仲間になれたり、自信がついたりするんですよね。変化を作り出して、新しいものにチャレンジしたくなるように仕向けているという感じです」

美容業界は厳しい状況にさらされている。しかし、逆境をチャンスに変えて、ONE TEAMで突き進む人たちがここにはいる。その人たちが作り出すメイクの力を借りて、私たちはまた少しだけ自分の可能性を信じてみるのだ。

アクロスエンタテインメント――声優事務所はＡＩ声優の夢を見るか？

人気声優の朝は早い。早朝、迎えの車に乗り込み、テレビの生放送に向かう。7時から7時半までの本番が終わると、10時からテレビアニメや海外ドラマのレギュラー収録を行う。遅ければ収録が終わるのは21時で、真っ直ぐ帰るかというとそうではない。単発のナレーション収録やライブ配信に駆けつけ、帰宅は深夜。そしてまた、夜明けを待たずに迎えの車がやって来る。

実はこれ、『鬼滅の刃』の主人公 竈門炭治郎役をはじめ、多くの作品で活躍する人気声優・花江夏樹が、朝の情報バラエティ『おはスタ』に出演していた頃のスケジュールだ。

土日は劇場版アニメ、いわゆる長尺の収録や、作品絡みのイベントに出演する。最近では、ゲームのキャラクターに声を当てることも増えてきた。セリフが多い案件は段ボール箱一杯の台本が送られてくる。花江は10年のキャリアで喉に負荷がかかりにくい喋り方を身につけたという。声優事務所も声の仕事を連続6時間程度に抑えるよう調整するが、売れっ子になればなるほど喉、そして体への負担が大きくなることは避けられない。

5年間は、1本1万5000円

日本に声優と呼ばれる人たちは1万人以上いると言われている。そのうち、声優専業で食べているのは300人ほど。芸能界全般に言えることかもしれないが、甘くない。

声優の報酬は、多くの場合、日本俳優連合が定めた「ランク」によって決まる。デビューから5年は新人育成期間の「ジュニアランク」で、作品の尺やセリフの数に関係なく報酬は1本1万5000円。たった一言でも1万5000円、長尺の吹き込みでも1万5000円だ。5年を過ぎると報酬が上がる。30分のテレビアニメ1本に出演となれば、最初の1万5000円に180%を掛けて2万7000円。明朗会計。二次使用等がある場合は、これにその分の金額が付加される。

実は、つい最近まで「ジュニアランク」は3年だった。これが5年に延びたのは、4年目にパタリと仕事がなくなる声優が増え過ぎたからだ。制作費が軒並み削減される中、起用する側は、4年目の売れない声優に2万7000円払うことを躊躇する。新人ならば1万5000円で済むからだ。「長尺OKで1人で何役もできる器用な新人いますか?」というオーダーが後を絶たない。2年延びたことで、売れっ子になるチャンスをつかめるかどうかはわからない。しかし、新人育成期間をどう過ごすかで声優としての将来がほぼ決まるということは間違いなさそうだ。では、声優にとって割のよい仕事はどこにあるのか。声優にとって代表的なのは、テレビやラジオのコマーシャルだ。実は、「ランク」によって報酬が決まるのはアニメや吹き替えの仕事。コマーシャルはそれに含まれない。ゲームのキャラクター、イベント、システム等のナビゲーション、遊技機も同様で報酬が高くなる傾向にあるという。

売れていく声優の共通点

それでは、どんな新人が売れっ子声優になっていくのだろうか。売れる可能性が高いのは、やはりコミュニケーション能力に長けた新人だという。これは、良好な人間関係を築く力というより、オーディションや収録の現場で、自分の「使いどころ」を相手に理解してもらうセルフプロデュース能力に近いかもしれない。それがうまく伝えられれば、別の仕事でまた呼んでもらえる可能性が高まる。

加えて年々ハードルが上がっているのは容姿だ。昨今、作品関連の動画配信やイベントへの出演など、声優自身が顔出しをする仕事が格段に増えている。特に女性声優の場合、歌って踊れるアイドルの役割を期待されるケースもある。起用する側のニーズがそこにある以上、声優事務所はそれを無視できない。一部で「養成所の時点で容姿選考を厳しくすべきでは」という声も上がっているという。

一般企業においても、「顔採用」と揶揄されるケースはそこらじゅうに転がっている。容姿はぱっと目を引く差別化要素の一つだ。だが、その市場価値を保ち続けるのは並大抵のことではない。結局は、容姿のアドバンテージが効くうちに、現場で必要とされる表現力や即応力を身につける必要があるのだと思う。

AI声優・花江夏樹、デビュー

花江は高校生のとき、トップ声優の山寺宏一に憧れ、彼が所属する会社にボイスサンプルを送った。その事務所、アクロスエンタテインメントは現在、山寺、花江の他にもバラエティ番組でもお馴染みの金田朋子、「ラブライブ！」などで活躍する内田彩といった人気声優を抱えており、業界内でも一目置かれる存在だ。

そのアクロスエンタテインメントが、AIを活用した合成音声技術によって、収録なしで声優の声をアプリやゲームに実装できるソリューションの開発に協力しているという。NTTドコモ、NTTテクノクロス、GADGET（ガジェット）、そして、アクロスエンタテインメントの4社は、2020年11月、合成音声ソリューション「FutureVoice Actors」を発表。アクロスエンタテインメント所属の声優24人の声をラインナップした。「FutureVoice Actors」は、感情表現を細かく調整することで、声優本人の話し声に近いクオリティを目指したという。

さらに、アプリ開発会社のサイバードが提供するライフスタイルサポートアプリ「エムノア」に、花江、内田の合成音声を先行導入した。実際に「エムノア」をダウンロードし、「おはよう、起きる時間だよ」という花江の声を目覚ましに設定してみた。機械的な単調さはなく、アニメのキャラクターに起こされている感覚だ。

「この取り組みに抵抗感を示す声優やマネージャーはもちろんいます」。そう語るのは、アクロスエンタテインメントでこのプロジェクトをリードする松木靖卓(まつきやすたか)だ。松木は、大学卒業と同時に映画配給会社に就職、テレビの制作会社を経て現職と、一貫してエンターテインメントの世界に身を置くベテランだ。世間を騒がす「人間の仕事を奪うAI」よろしく、合成音声は声優の仕事を奪うディスラプターそのものに思える。松木はなぜ、そんな合成音声技術に声優業界の明るい未来を見るのか。その謎を解いていこう。

好きな声優やキャラクターと会話ができたら

話は世界がWindows 95の発売に沸いた翌年、1996年にまでさかのぼる。松木は、仕事仲間の浅見敬(あさみたかし)が映画業界を去ったと風の便りに聞いた。本人をつかまえて聞いてみると、なんでも米国の大手インターネットプロバイダーに転職するらしい。「これからはインターネットの時代だ」、当時は、浅見が何を言っているのかさっぱりわからなかった。時は流れ、2017年。浅見は、電子書籍サービスを手掛けるGADGETのCEOとして、NTTドコモに一つのアイデアを持ち込んだ。

「スマートスピーカーが出たときに、これを声優さんやキャラクターの声でできたら面白いなと思ったんです。このときはまだ思いつきレベルだったのですが、NTTドコモ・ベンチャーズから出資を受けていた縁もあって相談してみました」

NTTドコモは、思いのほか乗り気だった。実は「あらゆるモノに対話型AIサービスを」を合言葉に、合成音声ソリューションの研究開発プロジェクト「Project : SEBASTIEN(プロジェクト・セバスチャン)」をスタートさせたばかりだったのだ。

2017年といえば、日本にもスマートスピーカーが本格的に普及し始めた時期だ。NTTグループ内部では、NTTテクノクロスがディープラーニングによって少しの音声で劇的にその人に似せた合成音声を作り出すことに成功していた。今後さらに普及するであろう「喋るプロダクト」、そこに命を宿らせるのは「声」に他ならない。アナウンサーのように落ち着いた声、優しいおばあちゃんの声、無邪気な子供の声、そのプロダクトの性格に合わせた声が求められるようになるはずだ。

ＮＴＴテクノクロスの鳥居崇は、当時の状況をこう語る。

「浅見さんからお話をいただく前に、プロジェクト・セバスチャンではすでに50種類以上の合成音声を作成していました。初めは色のついていない声でしたが、チーム内にアニメや声優が大好きなメンバーがいて、この人の声がいい、あの人の声もいいと盛り上がっているうちに、実際に打診して、声優の音声を使った合成音声を作り始めていました」

このプロジェクトの市場価値を最も高める方法は、鉄腕アトムやドラえもんといった誰もが知るキャラクターに喋ってもらうことだ。だが、長くコンテンツビジネスに携わってきた浅見には、既存のキャラクターの合成音声を作り、商用化することの難しさがよくわかっていた。しかし、声優のオリジナル音声ならば、声優本人や所属事務所との話し合いで事を進められる。浅見は、真っ先に松木を訪ねた。

「スマートスピーカーで好きな声優やキャラクターと会話ができたら、人は笑顔になると思いませんか？」」。久しぶりに会う浅見は、「これからはインターネットの時代だ」と話した当時と変わらず未来を生きていた。松木は、6年前の決意を思い出していた。

アクロスエンタテインメントは、2008年4月、山寺宏一のチーフマネージャー藤崎（ふじさき）淳（じゅん）が、芸能事務所と制作会社を兼ねて創業。松木はその4カ月後に入社し、多忙な日々を送っていた。状況が一変したのは、2011年3月11日。メディアは一瞬にして震災報道一色となった。決まっていた仕事があれよあれよという間に飛んでいく。痛いほど自覚させられたのは、「エンターテインメントは不要不急、人が生活していく上でなくてもいい仕事」ということだった。

同時に、エンターテインメントにできることは何か考えた。エンターテインメントがなくても人は生きていける。でも、あれば少し嬉しい。エンターテインメントは人生に潤いを与えられる。そこに価値を見出してくれる人がいてくれるからこそ、自分たちは存在できる。こんなにも本質的な問いに自問自答を繰り返すのは、長い業界生活で初めてのことだった。感謝の気持ちが生まれていた。テレビに笑いが戻るまで、できることはなかった。

ただ、いつか恩返しになるような仕事をすると心に決めた。

「スマートスピーカーで好きな声優やキャラクターと会話ができたら、人は笑顔になると思いませんか？」、その言葉に松木は、雷に打たれた気がした。そうだ、これが我々の仕事の本質だ。今度こそ、テレビやラジオ、舞台といった枠を越え、エンターテインメントが人々の生活に寄り添い、人々を笑顔にできるのではないか。それだったらもう最高なんじゃないか、と。

声優の仕事が奪われる

最も気になるのは、「合成音声技術によって声優の仕事が奪われる」という観点だ。まず大前提として、アニメや外国映画の吹き替えの仕事は、いわゆる業界4団体（日本俳優連合、日本音声製作者連盟、日本芸能マネージメント事業者協会、日本声優事業社協議会）が定めたルールで運用されている。合成音声でのアテレコは禁止されているわけではないが、先人たちが築いてきた「声優文化」を守るという観点から、そこは侵してはいけない聖域だと松木は言う。そのため現状では、アニメや吹き替えといった仕事が合成音声に奪われることはない。問題はそれ以外のゲームやコマーシャル、遊技機といった一般的に案件単価の高い仕事だ。

一部の声優は、合成音声によって自分の仕事がなくなるのではと不安視する。また、一部のマネージャーは、クライアントが合成音声でいいやとなれば案件単価が下がっていくのではと危惧する。これらの懸念はもっともだ。なぜなら、これまでの合成音声の案件は、「買い取り」と言って、一度報酬を支払えば二次使用料が支払われることなく無制限に使われてしまうケースがほとんどだったのだ。これでは生声の仕事を毀損する存在と言われても仕方がない。

「これが実情ですから、どこの声優事務所も合成音声が普及すれば損をすると思っています。今は、新たなビジネス機会を創出できる可能性と同時に、声優や声優事務所が不利にならない契約にすること、どの程度発話されているかトレースできるシステムもあるということを一つ一つ説明している段階です」と、松木は語る。

合成音声が生み出すビジネス機会

松木が考える、合成音声によって生み出される新たなビジネス機会とはどういったものなのか。例えば、多言語化だ。日本の声優は海外でも高い人気を誇っている。合成音声によって声優本人の声質で多言語対応が可能になれば、世界中からオファーが舞い込んでくる可能性があるという。

また、合成音声によって声優本人が稼働することなくゲームやアプリが制作できるとなれば、声優1人あたりの生産性は何倍にも上がる。言うなれば、声優本人が働かなくても合成音声が稼いでくれるというわけだ。現状、ゲーム音声の収録は、セリフの数に比例して収録時間も長くなる。合成音声ならば、声優の喉への負担も解消できる。

声優本人が亡くなった後も仕事が受けられる。人工知能で歌手の美空ひばりをよみがえらせたプロジェクトは記憶に新しい。声優の場合、スタジオで収録したクオリティの高い音声が残っているため、技術的にはおそらく精度の高いものができる。遺族への印税配分も可能だ。「でも肝心なのは、生前のご本人の意思とご遺族の意思、所属事務所の意思が尊重されること。これから慎重にルール作りをしていくべきところです」

コロナ禍で増えた宅録

また、松木は、コロナ禍特有の事情で合成音声を使いたい場面があるという。

「外出自粛期間中、短いナレーションの案件で、専用のスタジオではなく声優本人の自宅で録音（宅録）してくださいという依頼がかなり増えたんです」

クライアントにとって、クオリティより声優本人の生声であることが重要なのかといえばそうでもない。宅録になるような案件は、名のある声優ご指名ではなく、「予算がないのでこういう雰囲気の声ならばどの声優でも」というケースが多い。事務所側から数名候補を出し、決めてもらうという流れだ。

「一旦宅録して、本番はまたどこかで録るのかなと思っていたら、宅録したものがそのまま本番で使われてしまったこともあります。それなら合成音声のほうが雑音も入らず、クオリティが高いのではないかと思います。クオリティ管理ができないと、結果的に声優本人や声優事務所の価値を下げることになってしまうので、避けたいですね」

合成音声にしかできない仕事

「合成音声が今ある声優の仕事を代替する役割になってしまうと、本当は生声のほうがいいけど仕方なく合成音声を使うという認識になりますよね。すると、『生声よりも合成音声のほうが安い』みたいな話になりかねない」、そう浅見は指摘する。

浅見は、合成音声には合成音声にしかできない仕事をさせるべきだと考えている。例えば、スマートスピーカーのようなAI対話エンジンとの掛け合わせ。いわゆる「自由発話」だ。人間の声優が何千万通りの対話のパターンをすべて録音するなんて到底無理な話だ。また、遊園地の着ぐるみは身振り手振りのみで基本喋らない。中に入っているのは声の主とは別人だからだ。だが、合成音声を使えば、スピーカーを介して目の前の子供とキャラクターそのものの声で言葉を交わすことができる。

浅見は、合成音声の存在価値は、生身の声優にはできない仕事を、声優本人の音声でできるようになることにあるという。「そういう市場を創り、伸ばしていくことが僕らのミッションだと思っています」

単なるディスラプターにならないために

今、松木たちが最も力を入れているのは、合成音声が単に声優の仕事を奪う技術とならないための対策だ。アクロスエンタテインメント代表の藤崎は、15年以上前から合成音声技術に理解があり、松木の背中を押す存在だ。その未来像については、松木や浅見よりも確信に近いビジョンを持っていた。

技術の進歩はどうしたって避けられない。2年先、1年先、もしかしたら半年先には声優の生声と遜色のないものが出来上がっている可能性がある。そうなったときに慌てて声を上げるのでは遅い、と藤崎は言う。今から主体的に技術開発やルール作りに関わっていくことで、来たるべき未来における声優の仕事や権利を守ろうとしているのだ。

まずは、技術面の対策を見ていこう。NTTドコモの山崎光司(やまざきこうじ)によれば、現在、いつどこで生成された合成音声かを割り出せる技術を開発中だという。「音声そのものに音を被せ、その音からいわゆる符号を割り出すという仕組みです。要は、音声データそのものにIDを埋め込むようなイメージです」

本来なら、そのIDが埋め込まれた拡張子を作る方が話は早いのだという。だが、過去に同様の新しい独自規格を作って普及に失敗した例は枚挙にいとまがない。そのため、音声そのものに対してどうアプローチできるかを模索しているのだという。この技術によって合成音声の権利関係がはっきり示せれば、契約不履行や勝手な二次利用などに悩むことも少なくなるはずだ。

「発声権」という新たな概念

法律の整備にも余念がない。まずは著作隣接権。著作隣接権とは、著作物の伝達に携わる実演家、レコード製作者、放送事業者、有線放送事業者に認められた権利だ。

合成音声の著作隣接権は、法的にまだ明文化されていない。今の合成音声は、本人であることの同一性が曖昧で、乱暴な言い方をすれば「非常によく似たそっくりさんの声」というのが現行法の解釈だ。どこからどう聴いてもその人の声だとしても、出力元は機械。その人から発せられた声ならば当然行使できる権利が、合成音声になった途端に法の傘から外れてしまうのだ。

合成音声の著作隣接権に当たる概念として注目されているのが「発声権」だ。これは、電通と大手声優事務所81プロデュース・南沢道義（みなみさわみちよし）社長が立ち上げた一般社団法人「デジタルボイスパレット」が提唱するもので、自分の声帯から離れた合成音声が他人に利用される社会において、その権利を明確に定義・管理するものだ。松木も、この発声権という考え方がしっくりくると言う。「81プロデュースの南沢社長は、我々より前から合成音声の課題に向き合ってきました。やはり同じように法律や契約といった壁に直面し、発声権の提唱に行き着いたのだと思います。南沢社長がおっしゃることと、我々が目指すところは同じだと思っています」

声優が損をしない契約条件

法律の整備と並行し、声優や声優事務所が合成音声で損をしない契約内容も検討中だ。

松木は、「まずは我々が契約内容の第一案を作り、それが業界スタンダードの叩き台になれば、業界全体の発展に寄与し、ひいては声優文化を守ることに繋がる」と語る。

また、声優の報酬に関しても、新たな料金体系が必要だという。例えば、AI対話型エンジンを搭載したスマートスピーカー、家電、おもちゃ、デジタルサイネージなど、「喋るプロダクト」は今後も広がりを見せていくはずだ。新興市場で「買い取り」が横行しないよう、契約条件で縛ると同時に、発話数に応じた印税配分を検討しているという。

理屈や技巧を超えて磨き上げられた声優たちの表現力は、そう簡単に取って代わられるものではないだろう。ただ、法律や契約といった、人間のさじ加減一つで天使にも悪魔にもなり得るのが合成音声技術だということを、私たちは忘れてはならない。

コナミデジタルエンタテインメント――ゲームをしながらセキュリティを学ぶ

最後に、システム内製化の先にある未来の話をしたいと思う。これまで筆者はサイバーセキュリティ分野に縁があり、その道のプロフェッショナルたちを見てきた。重要な情報は案外お酒の席で交わされることが多い。彼らの素顔を覗いてみたくて、筆者はたびたび食事会を開催した。とある企業のCSIRTを集めた焼肉の会では、なんとその最中にサイバー攻撃が発生、焼肉会場は戦場と化した。そのときに見たプロフェッショナルたちの瞳の輝きが忘れられない。まさに水を得た魚。本当にインシデント対応が大好きなんだなと実感した。

筆者にとって転機となったのは、金融ISACのサイバー攻撃演習「サイバークエスト」に密着し、緊迫の一部始終を見守りながら攻撃者の役を務めるレッドチームや参加者の声を取材させてもらった経験だ。リアルなインシデントを極限まで追究した体験から得られるものの濃さにただただ圧倒され、当時在籍していたアイティメディアでも演習をやってみたいと思った。そこで、本書でもインタビューした鎌田敬介や内閣サイバーセキュリティセンターの内閣審議官だった三角育生（みすみいくお）の協力を得て、サイバー攻撃机上演習を実施した。

鎌田は元ゲーマーで、遊び心のある仕掛けが得意だ。演習の教材にも遊びを忘れない。企業のセキュリティ担当者を集め、インシデント対応現場の再現ドラマを制作した。演技は全くの素人にもかかわらず、セリフや仕草の端々から妙なリアリティを醸し出す映像に仕上がった。セキュリティ分野は専門性が高く、多くの人が苦手意識を感じる筆頭だ。だからこそ、少しでも取っつきやすい方法で「そのとき」に備える場を作りたいと思った。

内製化が進むにつれ、必ず立ちはだかるのがセキュリティの問題だ。開発を内製化できている企業でも、例えば、脆弱性診断やその結果に基づく対応の優先順位付けなどは外部の専門家を頼るケースが少なくない。それ自体は決して悪いことではない。だが理想は、社内でもセキュリティのスキルを持った人材を育成し、外部の専門家と対等にコミュニケーションをとりながら進めていける体制だ。

セキュリティ人材育成の方法は多種多様だが、『実況パワフルプロ野球』『ウイニングイレブン』などの人気タイトルを有するコナミデジタルエンタテインメント（以下、KONAMI）は、贅沢にも社内のゲームクリエイターを制作陣に、戦国国盗りゲームさながらの社内CTFを実施した。CTFとは旗取りゲームのこと。セキュリティの世界では、知識やスキルを駆使して課題を解き、時間内の合計点数を争う競技を指す。例えば世界最高峰のハッキングコンテスト「DEF CON（デフコン）CTF」や、国内最大級のCTF「SECCON（セクコン）」などがある。

KONAMIはなぜCTFを選んだのか。企画した制作支援本部データセキュリティ部スペシャリスト、瀬戸康裕（せとやすひろ）に話を聞いた。

ゲーム開発現場とセキュリティ

KONAMIがセキュリティ人材の育成に力を入れる理由は大きく二つある。一つは情報管理のため。ゲームはアイデアが詰まった知的財産の塊だ。特に発売前のゲームの情報は、徹底的に管理されている。しかしサイバー攻撃が巧妙化する昨今、いつ何時被害にあってもおかしくない、というのが全世界の共通認識だ。「専門的なソリューションの活用はもちろんですが、最後は人です。個人のリテラシーを高めることで、組織全体の意識やスキルの底上げを狙っています」

もう一つは、オンラインゲームを正常に運営していくためだ。オンラインゲームは開発、リリースして終わりではない。世に出してからの運営が重要だ。ユーザーがワクワクするような新しいコンテンツを追加し続ける必要がある。「そのサイクルが結構短くて、企画からリリースまで1~2カ月くらい。セキュリティを担保するために毎回1から10までセキュリティチェックを外部の方にお願いしていては、それだけで1カ月かかってしまいます。社内にセキュリティスキルを持った人材を育て、スピーディに対応できる体制が必要なんです」

セキュリティがボトルネックとなってゲームや追加コンテンツのリリースが遅れては競争力を失ってしまう。今でも、数多くあるゲーム開発チームごとにセキュリティ担当をアサインし、開発の初期設計段階からセキュリティを考慮する「セキュリティ・バイ・デザイン」を実践しているが、さらなる強化を実現したいという。

面白そうと思わせたら勝ち

ＫＯＮＡＭＩはなぜＣＴＦを選んだのか。瀬戸は、ゲーム会社にセキュリティを浸透させるなら、ゲームが好きで負けず嫌いな社員たちの心をくすぐるのが一番だと考えたからだ。きっかけは２０１３年。ゲーム開発者のためのカンファレンス「CEDEC」の片隅で、国内最大級のＣＴＦ「SECCON」の予選が行われた。当時、社内でセキュアコーディングの大切さを啓蒙していた瀬戸は、興味本位でエントリーした。「アプリ周りのセキュリティはそれなりに勉強していたつもりでした。でも、予選に出てみたら、触れたことがないようなジャンルの問題がたくさん出てきて、セキュリティの世界ってこんなに幅広くて奥深いんだなって実感したんですね。知らないことがあることを知れるのが、CTFのいいところだなと思いました」

このときはまだそう思っただけだった。しかし、2017年頃からゲームをスポーツ競技と捉えた「eスポーツ」が流行り始め、社内でも話題に上ることが増えた。今ならセキュリティ競技のCTFにも興味を持ってもらえるかもしれない。

瀬戸は、セキュリティ強化の重要性を伝えつつ、競技を通じてセキュリティを学べるCTFを開催したいと社内に訴えた。結果は、「面白そう！」。すぐに実施が決まった。

CTFのコンテンツは瀬戸がマネージャーとなり、4人で制作することになった。『メタルギア』や『ウイニングイレブン』を制作するデザイナー、プログラマー、サウンドエンジニアという豪華メンバーが、4カ月もの間、ほぼこのCTFだけに注力した。「社内の取り組みに彼らを4カ月も拘束しないでよ」と周囲から反発が出てもおかしくなさそうだが、瀬戸はいかにして理解を得ていったか。「やはり、面白そうと思ってもらえたことがよかったのだと思います。それから、新しいゲームエンジンのスキルを身につける機会として認識されたことも大きいです」

ゲーム開発者の矜持

かくして、「ＫＯＮＡＭＩの戦国ＣＴＦ」の開発がスタートした。実は、瀬戸にとって初めてのゲーム開発だった。「僕はインフラエンジニアとして入社したので、ゲーム開発の作法は全く知らなくて。ゲーム開発の苦労は聞いてはいたのですが、企画はこういう形で資料を作らないといけないんだとか、プログラマーとデザイナーはこういうふうに協力して開発するんだとか、自分で経験してみてだいぶ物の見方が変わったというか、初めて全体像が見えてきた気がしました」

デザイナーとぶつかることもあった。一般的なゲームでは、色彩やキャラクターを動かすなどダイナミックな演出が多用されている。だが、ＣＴＦにはそこまでの演出がなく、デザイナーからすると物足りないという。一方で可視化という観点では派手な演出が邪魔になる。「見る側が混乱するだけ。意味があるならいいけど、意味がないならやめてほしい、みたいな議論を何度も重ねました。相手はゲームデザインのプロです。僕の中に『こういうCTFにしたい』というイメージがはっきり描けていないと向かっていけません。最終的にどうしたいのかを常に自問自答していました」

その議論はどう落ち着いたのか。「結局、僕が折れる形になっちゃいました。『そこだけはどうしても譲れん』という感じだったので」。瀬戸はプロの仕事を垣間見た。

肝心の設問は、簡単なものから少しずつ習熟していけるようなラーニングカーブを意識した。理由は、解けないより解けたほうが楽しいから。放っておくと難易度がどんどん高くなってしまうのは、ゲーム制作現場にはよくあることだそうだ。最初に挫折してしまうとそこでユーザーは離れてしまう。まずはCTF自体を楽しんでもらうことを重視した。

戦国CTF、結果は

2019年3月、迎えた戦国CTF本番、参加者18名が6チームに分かれて挑んだ。社内にいるセキュリティ部門のキーマンは参加せず、勝負の行方はまったく予想が付かなかったが、新たな発見があった。「セキュリティの知識がないと解けない問題もちゃんと解いていて、『社内にこんなスキル持った人がいたんだ』と驚きました」

上位のチームには共通する特徴があったという。「強かったチームは会話が多く、メンバーそれぞれの得意分野を理解し、『これはあなたが得意だからお願い』という感じで役割分担していました。上位に食い込めなかったチームでは、お互いに同じ問題を解いているのに気がつかず、時間をロスしてしまうケースもありました。こうしたコミュニケーションは、実際のインシデント対応でも成否を分かつ重要なポイントだと思います」

瀬戸自身の感想はこうだ。「参加者もいろいろな気づきがあったと思いますが、一番勉強になったのは私たち制作側ですね。やはり問題を作る人間が一番詳しくないといいCTFにならないじゃないですか。作問の過程であれこれ調べるし、業務では触れてこなかったことも勉強しました。しばらくして、そのときに得た知識が実際の業務で役に立ったりして、やっておいてよかったと思いました」

2021年3月、第2回戦国CTFはオンラインで開催された。しかし、緊急事態宣言のドタバタもあり、参加者は減ってしまった。「ゲーム会社の日常を振り返ると、オンラインで2時間拘束するというやり方が合わないのかもしれません。今後も常設型の「戦国CTFミニ」として、細かい空き時間を使って参加できるようにしたり、企業対抗にしてみたり、遊び心を持って続けていきたいと思います」

DXが進展し、内製化が進むにつれ、必ずやってくるセキュリティの問題。セキュリティを社内に浸透させるやり方も、ＤＸと同様に一つではない。その組織、そこで働く人たちに合ったやり方がある。最も効果的なのは、相手の心に働きかけること。セキュリティだって、「楽しい」の延長にあっていいのだ。

特別取材④　及川卓也

筆者は独立を機に、ライターに加えて広報やイベントの企画など、一つのキャリアに絞らない働き方をしている。このスタンスを選んだのは、並行してさまざまな世界に身を置くことで、世間知らずな自分が少しでも速く成長できるのではと思ったからだ。パラレルキャリアと言えば聞こえはいいが、何のプロフェッショナルでもない。パラレル見習いである。

見習いの仕事の一つが、及川卓也のマネージャーだ。及川卓也は、Windows、Chrome、Chrome OS、Google の日本語入力など誰もが知るサービスを手掛け、2012年には『プロフェッショナル 仕事の流儀』（NHK）にも取り上げられたソフトウェアエンジニア。ソフトウェアの力で世界を変えることを目指し、「挑まなければ、得られない」、それが及川の流儀だ。

及川は早口だ。講演で人前に立つとさらに熱を帯び、息継ぎをしているのかたまに心配になるほどよくしゃべる。及川を突き動かすのは、変化に乏しく動きの遅い日本企業への危機感である。及川は自身に期待される役割をNHKの人気番組のキャラクター「チコちゃん」になぞらえる。壇上の及川は皮肉混じりの物言いが好評で、傍聴者からは「いやぁ、うちの役員にも聞かせてやりたい」などという声もよく聞かれる。だが、ほとんどの場合、及川の話はその場限りのエンターテインメントとして消費されていく。チコちゃんに叱られたところで、残念ながら大人たちは明日から変わろうとは思わないのだ。

及川は2019年1月、Tably（テーブリー）株式会社を立ち上げた。テクノロジーで企業や社会の変革を支援する会社だ。

「ここ数年、講演するばかりで飽きてしまいました」

起業の直前、及川はたびたびそう呟いていた。筆者はそれを耳にするたび、飽きたというのは少し違うと感じていた。「僕は批評家でも先生でもない、開発現場に戻りたい」。そんなエンジニアとしての葛藤があったのだと思う。実績や知名度に安住せず、挑戦の道を選ぶ及川の姿はいつも輝いて見えた。そう、著書を出すまでは。

2019年10月、及川は『ソフトウェア・ファースト　あらゆるビジネスを一変させる最強戦略』（日経BP）を出版した。及川の知見を余すことなく詰め込んだ『ソフトウェア・ファースト』は、経営層からエンジニアまで読める実践的なDXの本としてベストセラーとなった。しかしこの本、世に出るまでに紆余曲折があり、プロダクト開発で言うところのアンチパターンをいろいろとやらかしている。美しい装丁を剝いだ『ソフトウェア・ファースト』の真実を書いてみたい。

不純な動機

「本は名刺代わりになりますよ」——きっかけは、独立したての及川に商売上手な悪友がささやいた一言だった。及川はこれまでウェブメディアを中心に数多くのインタビューや対談に応じてきた。なかなかいい話をしていると自画自賛できる記事も多く、及川は「これらをまとめたら、楽して本が出せるのでは」と考えた。

本の内容は、ソフトウェアエンジニアのキャリア戦略。特にエンジニアチームを率いるマネージャーのスキルに焦点を当てたいと考えていた。親しい日経BPの編集者に相談するとすぐに企画書が出来上がり、編集会議を通してくれた。この時点ですでに一つ目のアンチパターン。及川はただ、本を作ることが目的となっていた。

目的を見失う

編集会議は通ったものの、編集者も及川も多忙を極め、企画はしばらく塩漬けにされた。

そのうちオライリー・ジャパンからカミール・フルニエの翻訳本『エンジニアのためのマネジメントキャリアパス』の刊行が決まり、及川がまえがきを寄せることになった。本の紹介文には「管理職についたエンジニアが歩むキャリアパスについて段階をおって紹介します」とある。どこかで聞いたようなと思いつつページをめくると、及川の伝えたかったことがすべて書かれていた。名著を前に目的を見失った及川は、自分の本などどうでもよくなっていた。

主体性を失う

数カ月後、突然編集者から連絡が入った。「あの本、本格的に書き始めましょう！」だが、及川が書きたかったことはすでに『エンジニアのためのマネジメントキャリアパス』に書かれている。そんな素晴らしい本に寄稿できた時点で、及川はやる気を失っていた。仕方なく編集者が新たな切り口で企画を立て直すことになった。元はと言えば自分が企画を持ち込んだにもかかわらず、及川から主体性は消えていた。これがプロダクト開発なら「開発者が主体性を失った時点でおしまいだ」とか真っ先に言うタイプなのに、だ。

編集者が作ってくれた新しい企画は、ＤＸが進まない日本企業の課題や今後のサービス開発のあり方を及川独自の視点で追求するものだった。この時点では別の仮題がつけられていたが、これが後の『ソフトウェア・ファースト』だ。

執筆を始めるにあたり、麹町の小さな喫茶店で制作チームの顔合わせが設定され、筆者も同席することになった。本の制作は未経験だが、マネージャーとして何でもいいから及川の力になりたい。喫茶店に向かう途中、予報外れの雨に降られ、慌てて傘を買った。思わぬ出費だ、ついてない。傘を開くと、はじめから骨が折れていた。嫌な予感がした。そして、予感は的中することになる。

まるで多重下請け構造

小さなテーブルに及川、編集者、編集協力者、マネージャー（筆者）の4人が集まり、打ち合わせが始まった。売れそうな企画に盤石な編集体制。「あとは多忙な及川さんが執筆時間をきちんと確保できるかどうかですね」。穏やかな時間が過ぎていった。

筆者は企画書を一読し、読者の顔がぼんやりとしか見えてこないことが気になっていた。筆者が仕事をしてきたウェブメディアでは、同じテーマでもターゲットとする読者によって切り口をガラリと変える。書き手は、これが誰向けの記事なのか強く意識する必要がある。でも、ウェブメディアと本ではやり方が違うはず。素人は黙っておこうと思った。

後日、編集者が目次案を作ってお膳立てをしてくれた。あくまでも案。再構成されることが大前提。だが及川は、目次案に従って執筆を進めていった。どこでどう使われるかわからないままに。及川の執筆スピードは凄まじく速い。本人は悩みながら書いていると言うが、少し目を離すと5000字くらいさらりと書き上げている。おそらく作家になっても成功していただろう。これは編集者にとって助かる反面、プレッシャーでもある。編集者は常にいくつもの本を同時進行している。中には手のかかる執筆者もいて、及川1人につきっきりになれるわけではない。及川は日々何かしら進捗し、編集者に報告したりフィードバックを求めたりした。その動きに追従するだけでも大変だったと思う。次第に反応が途絶えがちになっていった。

あろうことか、マネージャーとして及川に寄り添うべき筆者も「及川さんなら大丈夫」という信頼を言い訳に、積極的に関わろうとはしなかった。そして、及川に執筆アレルギーがない分、何の疑問も呈されることなく、文章だけが出来上がっていった。まるで、ＩＴ業界の多重下請け構造そのものだった。

読者の顔が見えない

執筆も折り返し地点に差し掛かったある日、及川と筆者はプロジェクトの中間振り返りを行った。そこで初めて筆者は、「この本は未だに読者の顔が見えてこない。仮に大企業の管理職向けだったとして、刺さる内容になっているだろうか」と正直な感想を伝えた。

エンジニア向けの本なら、アジャイル、スクラム、コンテナといった言葉に説明はいらない。しかし、非ＩＴ企業の管理職向けなら取り上げ方から再考する必要がある。また、若手やビジネス層向けなら、ＩＴの歴史を振り返る章は退屈だ。及川が古く見えてしまう。短く済ませるか思い切って削除でもよいだろう。目玉コンテンツとして及川と先進企業の対談も用意するつもりだが、本来なら、ターゲット読者が「この対談を読みたい」と思ってくれるかどうかから議論する必要があるはずだ。

ここでやっと想定読者のペルソナを作成することになった。これはあえて筆者が担当した。及川でも編集者でもなく、一歩引いた視点が必要だという考えからだ。及川の知人の名前と写真を使い、できる限り及川が具体的にイメージできるよう心がけた。人物像や抱えている悩み、口癖まで細かく言語化したことで、制作チーム内に共通認識が生まれた。

同時に、技術の話に寄り過ぎないことや、どうしても必要なら注釈を入れるといったディテールも固まり始めた。

プロダクト開発において最も重要なのは、ユーザーを理解すること。それは、及川自身が常に口を酸っぱくして言っていることだった。

意味のない執着

ペルソナが定まったことで及川はますます筆が乗った。実際には、MacBook Proだが。そんな中、出来上がりつつある原稿を、筆者と及川の友人で読むことになった。

「長い」「話があちこちに散らかっている」「これは誰のための本？」

筆者らにそんなつもりは全くなかったのだが、及川は傷ついたらしい。「その通りかもしれないが、せっかく書いたし、内容的にも公開する意義はあると思う」。そう言って文章を残そうとした。

不要な文章は要らないコードに等しい。開発者が作ったものに意味もなく執着するとき、ユーザーは置き去りにされる。捨てる勇気を持たなければならない。及川が一番よくわかっているはずのことだった。

人を動かすコトバの魔力

無情にも、刻一刻と入稿日は迫る。及川は、もはや何でもいいから体裁を整えて出すことが目的になっていた。及川は筆者にこう訴えた。「これ、外に出せるクオリティだと思います？　一応、体裁を整えるように頑張るけど、やっつけ仕事になっている」

グーグルで40人以上の天才エンジニアを率い、世界を変えるインパクトのある開発を成し遂げてきた及川卓也が今、目の前でやっつけ仕事をしようとしている。及川がこうなるまで筆者は何の助けにもなれなかった。マネージャー失格だ。このプロジェクトが始まって以来、筆者に初めて主体性が宿った。

筆者は、及川の人一倍スリムな佇まいを思い浮かべ、早口でまくしたてるときのリズムを頭の中で刻みながら、贅肉のごとく余分な文章を削って削って削りまくった。そして、こう投げかけた。

「本がまだ及川さんっぽくないんですよね。スマートで茶目っ気があり、たまに皮肉で言葉選びのセンスがある及川さんの特徴が文章からにじみ出ていない。及川さんの分身となる本だから、もっと及川さんっぽいリズムがほしい。今は太っちょな感じ。だからすごく違和感がある」

筆者のこの言葉で、及川は目が覚めたという。ちなみにこの会話がなされたのは、9月13日。入稿日当日だった。デスマーチが始まった。

執念がなしたメークドラマ

デスマーチ、死の行進。IT業界の過酷なプロジェクト進行を表わすスラングだ。入稿日に一から推敲を始め、3万字削り、再構成する行為は、傍から見ればデスマーチ以外の何物でもない。しかし、主体性を取り戻した及川と制作チームにとって、それはまさに「メークドラマ」だった。

メークドラマとは、1995年、読売ジャイアンツを率いる長嶋茂雄監督が低迷するチームを奮起させるために放った言葉だ。この言葉を胸に、その翌年チームは最大11・5ゲーム差をひっくり返して優勝するという大逆転劇を演じた。及川は制作チームのSlackで、メークドラマの始まりを宣言した。

及川の好きな言葉に「Creativity Loves Constraints」というものがある。創造性は制約を好む。人は時間という制約に追い込まれてこそ本領を発揮する。結局、最後に物を言うのは「いいものを作りたい」という純粋無垢な執念だ。

プロフェッショナルとは

本を書くことは、傷つくことや、気づきの連続だ。「もう書きたくない」、及川はそう言って執筆を終えた。こうして書店に並んだ『ソフトウェア・ファースト』は、多くの読者に支えられ、ベストセラーとなった。今では日本を代表するいくつかの企業で、役員の必読書にもなっているようだ。

「長嶋茂雄であり続けることは、結構苦労するんですよ」。長嶋茂雄はかつて、スーパースターであり続ける辛さをこう表現したという。多くのエンジニアが憧れる及川卓也も、少なからずそうだったのではないか。こんな雑念だらけの人間らしい及川卓也もたまにはいい。及川だってこうなのだから、はじめから完璧を目指さずに、まずは一歩踏み出そうぜ、ということが言いたかった。

最後に、たとえ一度や二度つまずいても百倍いいものにしてリリースする、それが及川卓也だということを書き加えておきたい。

酒井真弓（さかい まゆみ）

ノンフィクションライター。一九八五年、福島県生まれ。慶應義塾大学文学部卒業。IT系ニュースサイトを運営するアイティメディア㈱で情報システム部に在籍し、エンタープライズIT領域において年間六〇本ほどのイベントを企画。二〇一八年一〇月、フリーに転向。現在は記者、広報、イベント企画、ブランドアンバサダー、マネージャーとして、行政から民間まで幅広く記事執筆、企画運営に奔走している。

ルポ 日本(にほん)のDX(ディーエックス)最前線(さいぜんせん)

インターナショナル新書〇七四

二〇二一年六月一二日　第一刷発行
二〇二二年一月二六日　第二刷発行

著　者　酒井真弓(さかいまゆみ)

発行者　岩瀬　朗

発行所　株式会社 集英社インターナショナル
〒一〇一-〇〇六四 東京都千代田区神田猿楽町一-五-一八
電話 〇三-五二一一-二六三〇

発売所　株式会社 集英社
〒一〇一-八〇五〇 東京都千代田区一ツ橋二-五-一〇
電話 〇三-三二三〇-六〇八〇(読者係)
〇三-三二三〇-六三九三(販売部)書店専用

装　幀　アルビレオ

印刷所　大日本印刷株式会社

製本所　加藤製本株式会社

ISBN978-4-7976-8074-4 C0234

インターナショナル新書